エネルギー・シフト

再生可能エネルギー主力電源化への道

橘川武郎 著
Takeo KIKKAWA

東京 白桃書房 神田

はじめに：加速するエネルギーシフト

本書の序章以下の原稿を書き終えたのは、２０１９年12月である。その直後から、新型コロナ・ウイルス（ＣＯＶＩＤ-１９）の感染がまたたくまに広がり、それがもたらしたパンデミック（世界的大流行）は、この「はじめに」を書いている２０２０年５月の時点でも、収束する気配を見せない。

新型コロナ・ウイルスは世界経済に、１９２９年に発生した大恐慌以来と言われるほどの大きな打撃をもたらしたが、その衝撃波は、エネルギーの分野にもはっきりと及んだ。生産・販売・サービス提供の縮小や、人々の移動の抑制などによって、エネルギーに対する需要が顕著に減退したのである。

いろいろなエネルギーのなかで、とくに打撃を受けたのは、石油である。サウジアラビアとロシアとの対立によって原油の減産合意が一時的に破綻したこともあって、２０２０年４月20日には、米国ニューヨーク市場に上場する原油先物のＷＴＩ（ウエスト・テキサス・インターミディエート）の２０２０年５月物が史上初めてマイナス価格をつけるという、異常事態さえ生じた。

新型コロナ・ウイルスのパンデミックが各エネルギーに及ぼす影響について、「はじめに」を執筆している時点で正確に見通すことはできない。この時点で入手しうる予測のうち最も信頼できるものは、IEA（国際エネルギー機関）が2020年4月28日に発表した"Global Energy Review 2020"である。同レヴューは、発表時点までの最新情報にもとづき、2020年における世界全体のエネルギー源別の対前年比需要増減を、石油マイナス9％、石炭マイナス8％、ガスマイナス5％、原子力マイナス3％、再生可能エネルギープラス1％と予測し、エネルギー全体ではマイナス6％になると見込んでいる。

ここで注目すべきは、エネルギー需要全体が大きく減退するなかで、再生可能エネルギー需要が堅調に推移していることである。今回のパンデミックの発生以前から顕在化していた、使用時に二酸化炭素を排出するエネルギーから排出しないエネルギーへのシフト、集中型のエネルギー供給システムから分散型のエネルギー供給システムへのシフトという大きな流れ、つまり「エネルギーシフト（エネルギー転換）」と要約しうる流れは、パンデミックを通じて改めて明確になった。そして、この勢いはパンデミックを克服したのちの世界では、いっそう強まることになるだろう。

加速するエネルギーシフトの動きに取り残された感が強い日本政府も、ようやく重い腰をあげ、2018年に閣議決定した「第5次エネルギー基本計画」で、2050年までに「再生可能エネルギーの主力電源化」をめざす新しい方針を打ち出した。しかしその一方で政府は、新方針を策定したにもかかわらず、2030年の電源構成見通しにおける再生可能エネルギーの比率を上方修正せず、2015年に決定したままの水準の22～24％に据え置いた。これでは、政府が「再生エネ主力電源化」というスローガンを掲げながらも、それを本気で遂行する気がないのではないかという疑問が生じるのは、当然のことと言える。

そこで本書では、「再生エネ主力電源化」を本気で実現するためには何をなすべきかについて、正面から論じることにした。リアルな議論を展開するためには、再生エネ発電だけでなく、原子力発電・火力発電・水素利用などの動向をも視野に入れ、エネルギー問題を包括的に検討する必要がある。また、本題の「再生可能エネルギー主力電源化への道」それ自体については、①既存の枠組みを維持したままのアプローチと、②「ゲームチェンジ」を起こし新たな枠組みを創出するアプローチとの双方を、採り入れなければならない。本書は、これらの課題に取り組もうとするものである。

本書の出版に際しては、株式会社白桃書房の皆様、なかでも同社の平千枝子さんにたいへんお世話になりました。ここに特記して、心からの謝意を表します。

2020年5月

新型コロナ・ウイルス感染の緊急事態宣言下にある東京にて

橘川　武郎

目次

第2章 再生可能エネルギーをどうするか
主力電源化への2つのアプローチ

第3章 原子力発電をどうするか
カギ握る使用済み核燃料の処理

第4章　火力発電をどうするか　CCSとCCU……088

第5章　水素への期待　エネルギー構造全体を変える可能性……117

第6章 再生可能エネルギー主力電源化の担い手は誰か

ゲームチェンジャーの出現

序章 人類が直面する二律背反

◉本書のねらい

本書のねらいは、わが国において再生可能エネルギーを主力電源とするためには何をなすべきかを明らかにすることにある。再生可能エネルギー（以下、適宜、「再生エネ」ないし「再エネ」と略す）には、太陽光、風力、地熱、水力、バイオマスなどが含まれる。

2018年7月に閣議決定された「第5次エネルギー基本計画」[1]は、2050年までに再生可能エネルギーを主力電源化することをめざす方針を打ち出した。エネルギー基本計画とは、2002年に施行されたエネルギー政策基本法にもとづき策定されるもので、国の中長期的なエネルギー政策の指針を示す役割をもつ。最初のエネルギー

1 閣議決定『エネルギー基本計画』2018年7月。

基本計画は２００３年に策定されたが[2]、それ以降、３～４年に１回のペースで改定されてきた。２０１４年には、２０１１年の東京電力・福島第一原子力発電所事故以降初めての改定を受け、第４次エネルギー基本計画[3]が策定された。それをふまえて翌２０１５年にはエネルギー長期需給見通し（エネルギーミックス）が決定されたが、その内容は、図序‐１の「２０３０年度（将来）」のグラフに示されている。つまり、２０３０年度の電源構成（電源ミックス）を再生可能エネルギー22～24％（水力８・８～９・２％、太陽光７・０％、バイオマス３・７～４・６％、風力１・７％、地熱１・０～１・１％）、原子力20～22％、火力56％（石炭26％、石油３％、ＬＮＧ［液化天然ガス］27％）とし、一次エネルギー供給構成（一次エネルギー供給ミックス）を再生可能エネルギー13～14％、原子力10～11％、化石燃料76％（石炭25％、石油33％、ＬＮＧ18％）としたのである。２０１８年に改定された第５次エ

図序 -1　2030 年度のエネルギーミックス

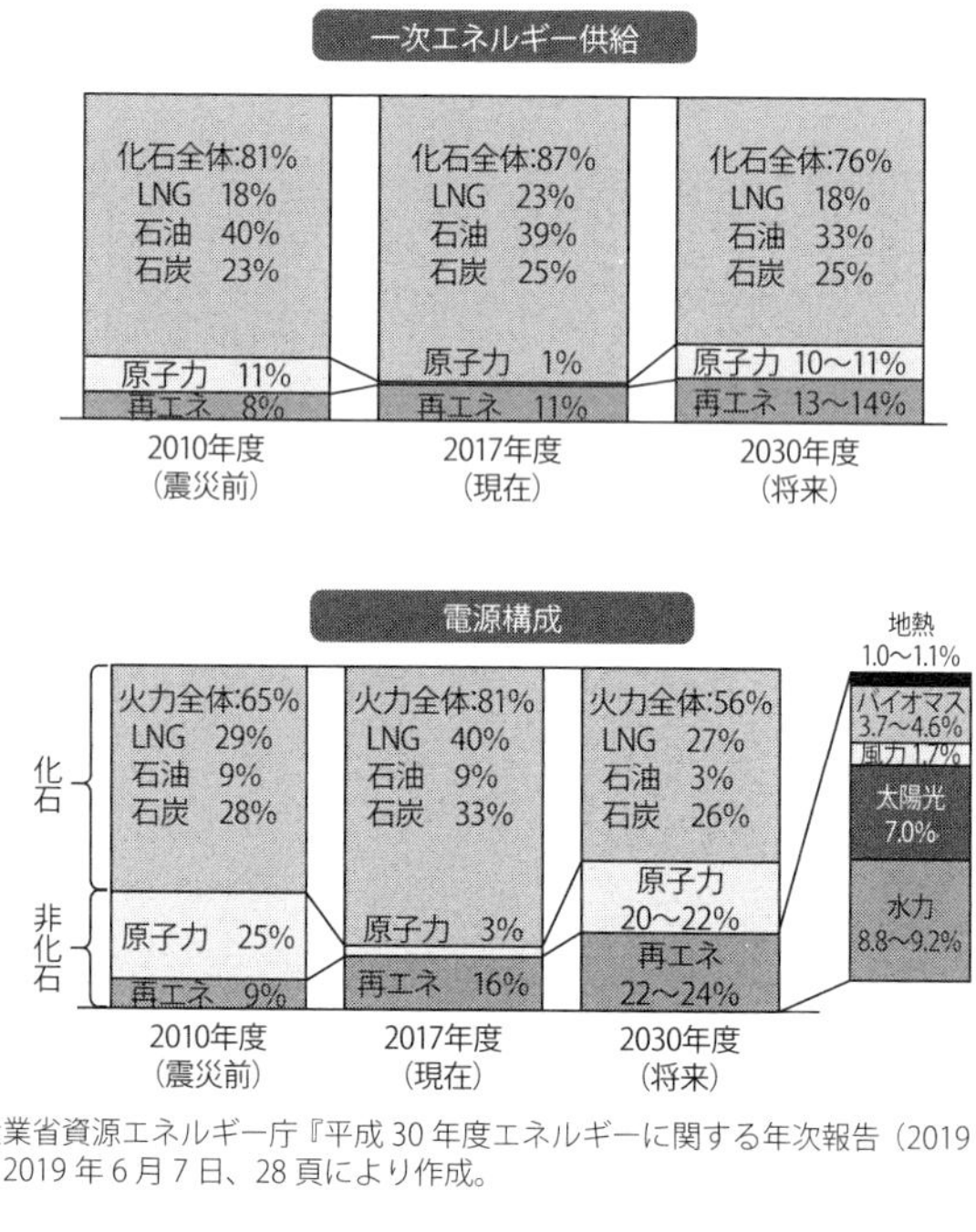

（出所）経済産業省資源エネルギー庁『平成 30 年度エネルギーに関する年次報告（2019 年度エネルギー白書）』2019 年 6 月 7 日、28 頁により作成。

ネルギー基本計画においても、この電源構成見通しと一次エネルギー供給構成見通しは維持されることになった。

2018年の改定の際には、2030年時点での状況について審議する総合資源エネルギー調査会基本政策分科会とは別に、2050年時点での状況について審議するエネルギー情勢懇談会が設置され、国レベルでの議論は並行して行われた。情勢懇談会の提言[4]は、再生可能エネルギーに関して2050年時点で主力電源化することをめざすと明記するとともに、原子力に関しても「実用段階にある脱炭素化の選択肢」として高い位置づけを与えた。これらの情勢懇談会の提言内容は、第5次エネルギー基本計画にも盛り込まれたのである。

しかし、第5次エネルギー基本計画は、2050年に再生可能エネルギーを主力電源化するとしながらも、2030年の電源構成における再生可能エネルギーの比率を上方修正せず、従来どおりの22~24%に据え置いたままにした。このことは、単に平仄が合わないだけでなく、大きな問題の存在を示唆している。それは、政府が「再生エネ主力電源化」というスローガンを掲げながらもそれを実現する具体的な方策を示していないという問題、さらに踏み込んで言えば、政府はそもそも「再生エネ主力電源化」を本気で遂行する気がないのではないかという問題である。

本書は、この問題に正面から対峙するために刊行された。本書が、「わが国において再生可能エネルギーを主力電源とするためには何をなすべきかを明らかにする」ことを目的とするゆえんである。

---

2 閣議決定『エネルギー基本計画』2003年10月。
3 閣議決定『エネルギー基本計画』2014年4月。
4 エネルギー情勢懇談会『エネルギー情勢懇談会提言~エネルギー転換へのイニシアティブ~』2018年4月10日。

◉人類が直面する二律背反

現在、人類が直面する最大の危機は、何であろうか。それは、残念ながら、今もって、貧困と飢餓である。2018年9月に発表された国際連合（国連）の2018年版「世界の食料安全保障と栄養の現状」報告書[5]によれば、世界の飢餓人口の増加は続いており、2017年には8億2100万人、つまり世界人口のほぼ9人に1人が飢えに苦しんでいる。貧困と飢餓を克服するためには「豊かさ」が必要であり、「豊かさ」の実現は、多くの場合、化石燃料の消費の拡大をともなう。世界の未電化人口が2017年時点で9億9200万人に達していること[6]を考え合わせると、人類全体が電気のメリットを享受できるようにするためには、石炭や天然ガスの使用量は増加せざるをえない[7]。

一方、人類が直面する2番目の危機は、地球温暖化である。2015年に開催されたCOP21（国連気候変動枠組条約第21回締約国会議）でパリ協定が採択されたが、同協定は、世界的な平均気温上昇を産業革命以前に比べて2℃より低く保つこと、さらには1・5℃に抑える努力を重ねることを規定した。2016年11月に発効したパリ協定は、気候変動枠組条約に加盟する196ヵ国すべてが参加したという意味で史上初の枠組みであり、地球温暖化に対する人類全体の強い危機感が表明されたものと言える。

地球温暖化対策を有効に進めるためには、温室効果ガスの中心となる二酸化炭素（CO_2）を排出する化石燃料の使用を抑制する必要がある。つまり、人類最大の危機である貧困・飢餓への対策（化石燃料の使用拡大）と、人類第2の危機である地球温暖化への対策（化石燃料の使用抑制）とが、原理的に矛盾するわけである。現在を生きるわれわれは、深刻な二律背反に直面していることになる。

最近街で、円を17分割したカラフルなバッジを付けた人をよく見かける。２０１５年９月の国連サミットで採択された17項目の持続可能な開発目標（ＳＤＧｓ：Sustainable Development Goals）を象ったバッジである。

ＳＤＧｓの17項目の目標は、以下のとおりである。[8]

(1) 貧困をなくそう
(2) 飢餓をゼロに
(3) すべての人に健康と福祉を
(4) 質の高い教育をみんなに
(5) ジェンダー平等を実現しよう
(6) 安全な水とトイレを世界中に
(7) エネルギーをみんなにそしてクリーンに
(8) 働きがいも経済成長も

---

5 FAO (Food and Agriculture Organization of the United Nations), IFAD (International Fund for Agricultural Development), unicef, WFP (World Food Programme), and WHO (World Health Organization), 2018, *THE STATE OF FOOD SECURITY AND NUTRITION IN THE WORLD: BUILDING CLIMATE RESILIENCE FOR FOOD SECURITY AND NUTRITION*, 2018.

6 経済産業省資源エネルギー庁『平成30年度エネルギーに関する年次報告（エネルギー白書２０１９）』２０１９年６月７日、２１３頁参照。

7 ２０００～１６年に世界で新たに電源へアクセスできるようになった人数は約12億人に達するが、そのうちの71％は、化石燃料を使用する電源にアクセスした。この点については、経済産業省資源エネルギー庁「昨今のエネルギーを巡る動向とエネルギー転換・脱炭素化に向けた政策の進捗」２０１９年７月１日、77頁参照。

8 外務省「持続可能な開発目標（ＳＤＧｓ）について」２０１９年１月（https://www.mofa.go.jp/mofaj/gaiko/oda/sdgs/pdf/about_sdgs_summary.pdf）。

(9) 産業と技術革新の基盤をつくろう
(10) 人や国の不平等をなくそう
(11) 住み続けられるまちづくりを
(12) つくる責任つかう責任
(13) 気候変動に具体的な対策を
(14) 海の豊かさを守ろう
(15) 陸の豊かさも守ろう
(16) 平和と公正をすべての人に
(17) パートナーシップで目標を達成しよう

通常、ＳＤＧｓは、第13項目の「気候変動に具体的な対策を」に重きをおいて理解され、地球温暖化対策が中心的な内容だと思われがちである。しかし、第1項目は「貧困をなくそう」であり、第2項目は「飢餓をゼロに」である。第13項目の達成のためには化石燃料の使用抑制が求められ、第1・2項目の実現のためには化石燃料の使用拡大が不可避である。ＳＤＧｓもまた、二律背反に陥っているのである。

そのことを端的に示すのは、第7項目の「エネルギーをみんなにそしてクリーンに」だ。エネルギーをみんなに届けるためには、化石燃料の使用を増やさざるをえない。しかし、エネルギーをクリーンにするためには、化石燃料の使用を抑えなければならない。第7項目は、それ自体が二律背反を内包していると言える。

ＳＤＧｓに関連して、「ＥＳＧ投資」という言葉も、よく耳にする。ＥＳＧのＥはEnvironment（環境）、ＳはSocial（社会）、ＧはGovernance（ガバナンス）を、それぞれ意味する。この3要素を満たす企業に対して、積極的に投資しようという考え方である。

ＳＤＧｓの場合と同様に、ＥＳＧ投資に関しても、Ｅ（環境）に重きをおいて理解され、地球温暖化対策が投資のための中心的な要件だと思われがちである。しかし、現実には、ＥだけでなくＳ（社会）も、きわめて重要な要件である。Ｓには、当然のことながら、貧困や飢餓の克服も含まれる。つまり、厳密に言えば、ＥＳＧ投資もまた、原理的な二律背反を免れえないのである。

◉必要不可欠な2つの方策

人類が直面する二律背反を解決する手立ては、存在するのだろうか。真に解決することにはならないかもしれないが、少なくとも全力をあげて取り組むべき方策が２つある。

第１は、省エネルギー（省エネ）である。省エネとは、「なるべく少ないエネルギー消費で豊かさを実現すること」と定義づけることができる。

第２は、CO_2をほとんど排出しないゼロエミッションのエネルギー源を使用することである。ゼロエミッションのエネルギー源としては、再生可能エネルギーと原子力の２つをあげることができる。ただし、原子力には、CO_2を排出しないものの、使用済み核燃料の処理が未解決だという大問題がある。したがって、ゼロエミッションのエネルギー源として活用すべきは、まずは再生可能エネルギーだということになる。

人類が直面する二律背反を克服するためには、省エネの徹底と再生エネの最大限活用から始めなければならないのである。本書では、これらのうち、「再生エネの最大限活用」に光を当てていく。

◉省エネルギーの到達点と課題

再生可能エネルギーの最大限活用の論点にはいる前に、省エネルギー(省エネ)にかかわる論点について、簡単に振り返っておこう。人類が直面する二律背反に立ち向かううえでとるべき、もう1つの方策に目を向けるわけである。

日本はよく、「省エネ先進国」だと言われる。図序-2は、実質GDP(国内総生産)当たりのエネルギー消費量を、日本を1・0として、2016年について国際比較したものである。この図にあるように、日本の数値は、英国に次いで低く、世界平均の2・5分の1である。省エネが、「なるべく少ないエネルギー消費で豊かさを実現すること」であるとすれば、一応、日本は「省エネ先進国」だと言っても、まちがいではないことになる。

ただし、部門別に検討すると、日本の省エネにも、まだまだ課題が残っていることが判明する。図序-3は、わが国の最終エネルギー消費と実質GDPとの関係を示したものである。この図の(B)からわかるように、最終エネルギー消費の部門別構成は、2017年度で、産業部門が46・2%、運輸部門が23・2%、家庭部門が14・9%、業務他部門が15・

図序-2　実質GDP当たりのエネルギー消費の主要国・地域比較（2016年）

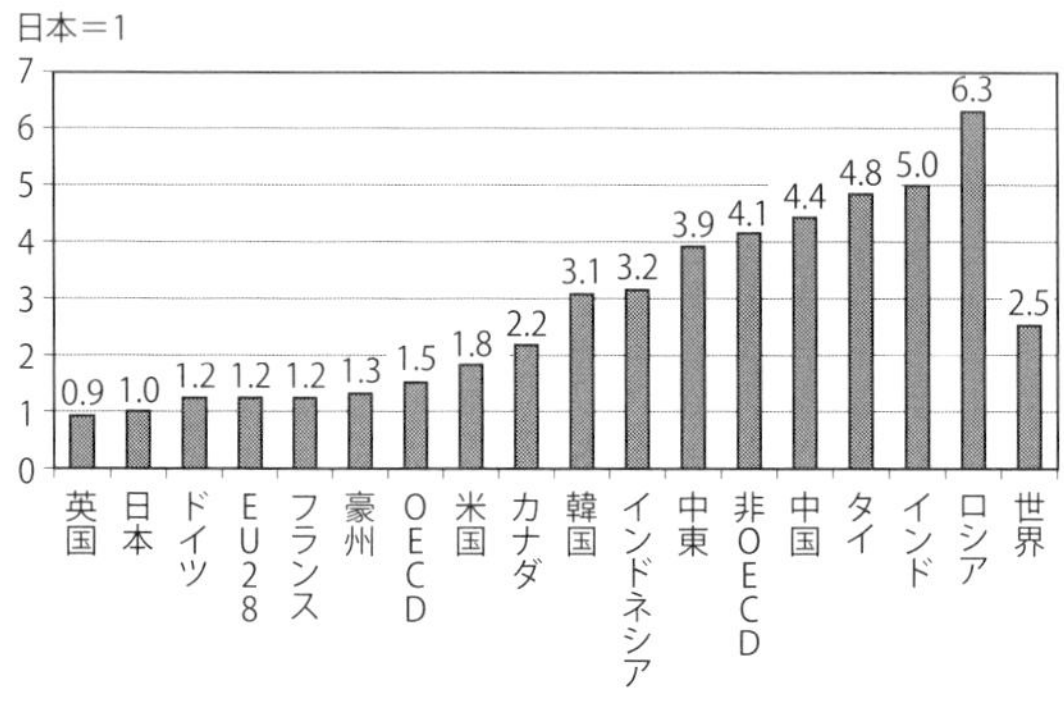

（原資料）IEA, *World Energy Balances 2018 Edition* ; World Bank, *World Development Indicators 2018.*
（出所）経済産業省資源エネルギー庁『エネルギー白書 2019』108頁。

7％である。この数値を、第1次石油危機が起こった1973年度のそれと比べると、産業部門が19・3ポイント低下しているのに対して、運輸部門は6・8ポイント、家庭部門は6・0ポイント、業務他部門は6・5ポイント、それぞれ上昇していることが読み取れる。産業部門

図序-3　最終エネルギー消費と実質GDPの推移（1973～2017年度）

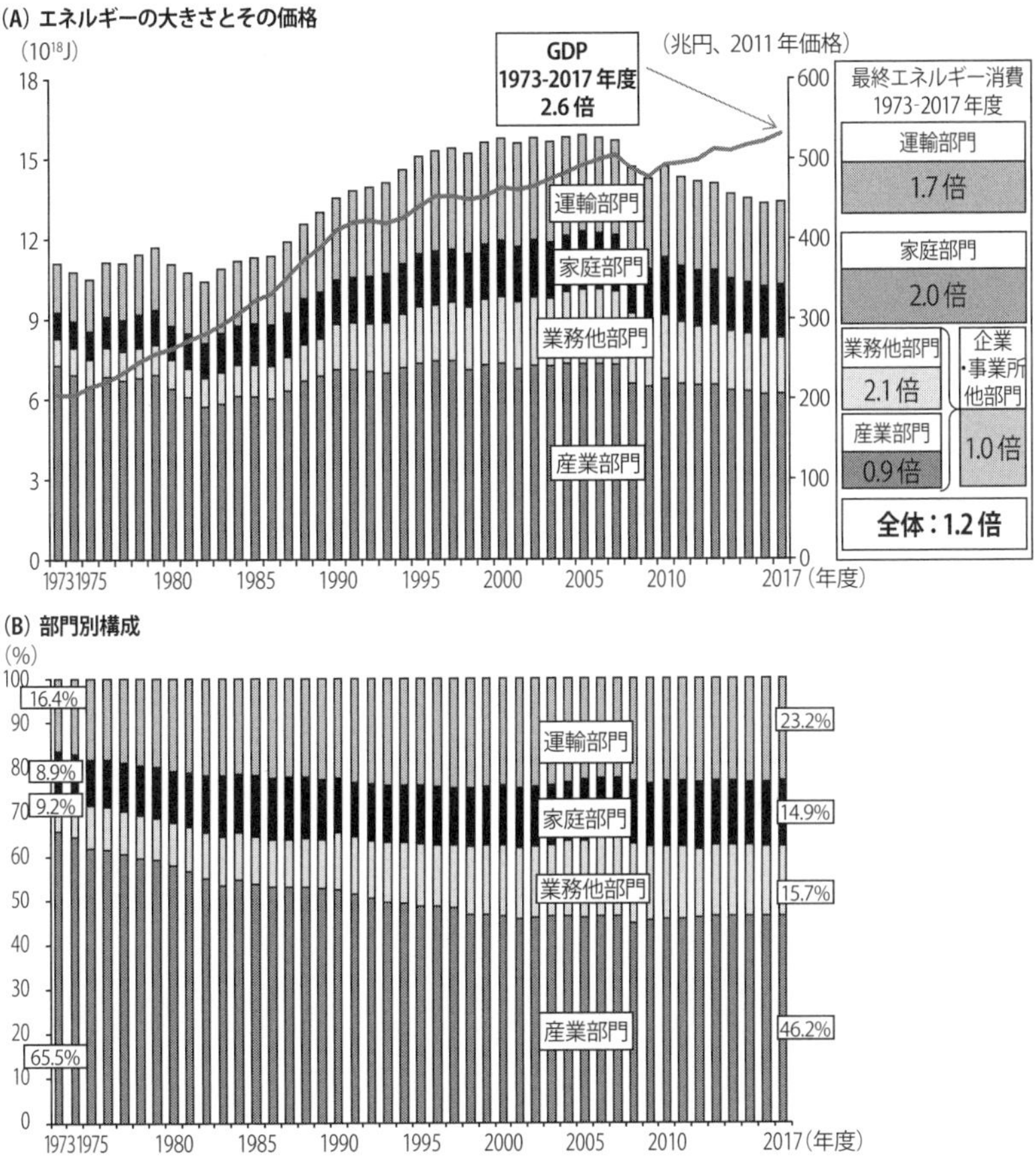

（注）1．J（ジュール）＝エネルギーの大きさを示す指標の1つで、1MJ＝0.0258×10^{-3}原油換算kl。
2．「総合エネルギー統計」は、1990年度以降の数値について算出方法が変更されている。
3．産業部門は農林水産鉱建設業と製造業の合計。
4．1993年度以前のGDPは日本エネルギー経済研究所推計。
（原資料）経済産業省資源エネルギー庁「総合エネルギー統計」；内閣府「国民経済計算」；日本エネルギー経済研究所「エネルギー・経済統計要覧」。

（出所）経済産業省資源エネルギー庁『エネルギー白書2019』104頁。
（注）上下の図にタイトルを加筆。

に比べて、運輸部門・家庭部門・業務他部門の省エネは、立ち遅れているのである。

図序－３の(A)からは、１９７３～２０１７年度に日本のＧＤＰが２・６倍になったのに、エネルギー消費の増加は１・２倍にとどまったことが判明する。全体として省エネが進んだと言えるが、この結果は、産業部門のエネルギー消費増加が０・９倍にとどまった（つまり、１割減少した）ことによるところが大きい。それとは対照的に、運輸部門のエネルギー消費増加は１・７倍、家庭部門の増加は２・０倍、業務他部門の増加は２・１倍に達したのである。

本書は省エネをテーマとするものではないので、これ以上深入りすることはしないが、「省エネ先進国・日本」にも、部門別に見れば、まだまだ課題が残っていることは明らかである。運輸部門・家庭部門・業務他部門では省エネの余地が大きい点は、強調されてしかるべきであ

1 人当たりエネルギー起因 CO_2 排出量（2016 年）

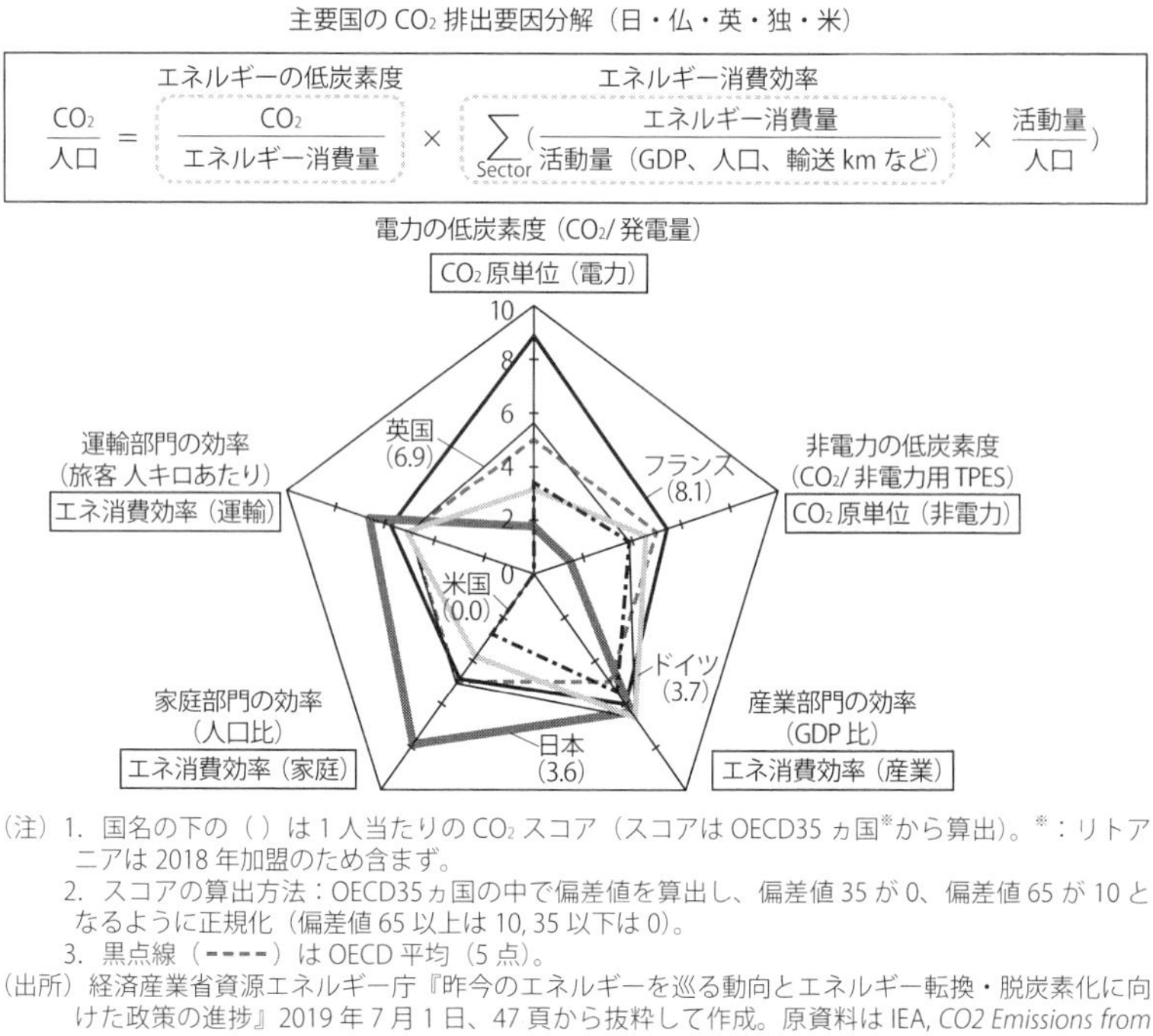

（注）1. 国名の下の（ ）は 1 人当たりの CO_2 スコア（スコアは OECD35 ヵ国※から算出）。※：リトアニアは 2018 年加盟のため含まず。
2. スコアの算出方法：OECD35 ヵ国の中で偏差値を算出し、偏差値 35 が 0、偏差値 65 が 10 となるように正規化（偏差値 65 以上は 10, 35 以下は 0）。
3. 黒点線（‐‐‐‐）は OECD 平均（5 点）。

（出所）経済産業省資源エネルギー庁『昨今のエネルギーを巡る動向とエネルギー転換・脱炭素化に向けた政策の進捗』2019 年 7 月 1 日、47 頁から抜粋して作成。原資料は IEA, *CO2 Emissions from Fuel Combution* ; IEA, *World Energy Balances* ; OECD stat 等。

ろう。

――◉「再生エネの主力電源化」が求められる背景

人類が直面する二律背反に立ち向かううえでとるべき第2の方策、つまり、「再生可能エネルギーの最大限活用」に目を転じよう。

まず注目したいのは、OECD（経済協力開発機構）加盟35ヵ国の年間1人当たりエネルギー起因CO_2排出量を2016年について見た図序-4である。1人当たりCO_2排出量の少なさの点で日本（35ヵ国中第27位）は、米国（第34位）を上回るものの、フランス（第5位）・英国（第13位）・ドイツ（第26位）の後塵を拝する。

「省エネ先進国」のはずの日本が、1人当たりCO_2排出量の点では「後進国」になるのは、なぜだろうか。それは、わが国がエネルギーの需要面では強みをもつが、供給面では弱みを有

図序-4　OECD加盟国（35ヵ国）の年間1人当たりCO_2排出量（OECD35ヵ国※）

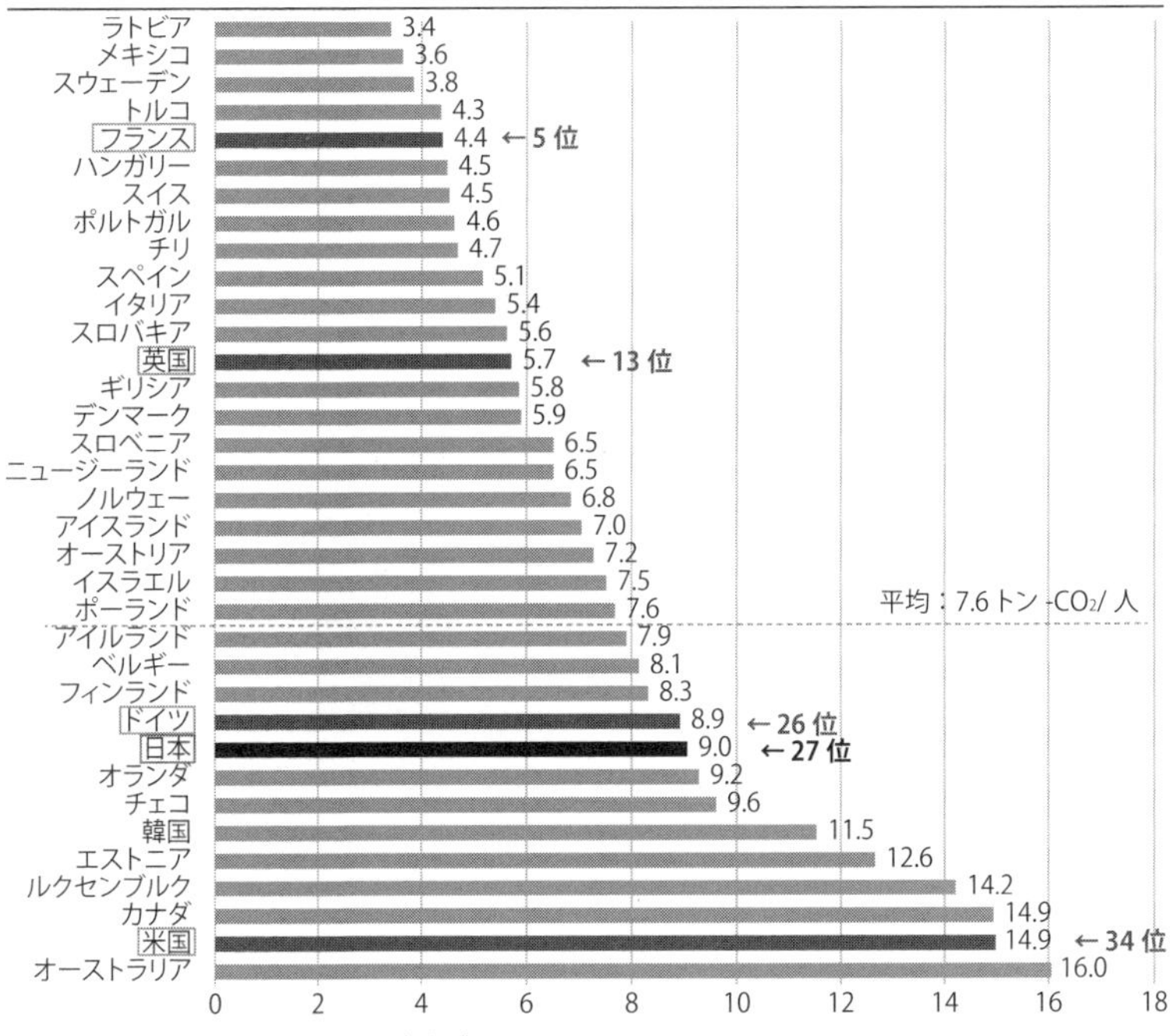

※リトアニアは2018年加盟のため含まず。

するからである。

前掲の図序－1が示すように、日本の電源構成で2010年度には25％を占めていた原子力発電の比率は、福島第一原子力発電所事故後急減し、2017年度にはわずか3％にとどまった。2017年度の再生エネ発電の比率も、16％に過ぎない。残る81％の電力はCO_2を排出する火力発電で供給されているのであり、これでは、わが国の1人当たりCO_2排出量が増大するのは当然である。

この点は、主要5ヵ国の2016年の電源構成を示した図序－5からも、確認することができる。再生エネ（水力を含む）電源と原子力発電を合わせたゼロエミッション電源（図序－5では「非化石」と表記されている）の比率は、フラ

図序-5　主要国の電源構成（2016年）

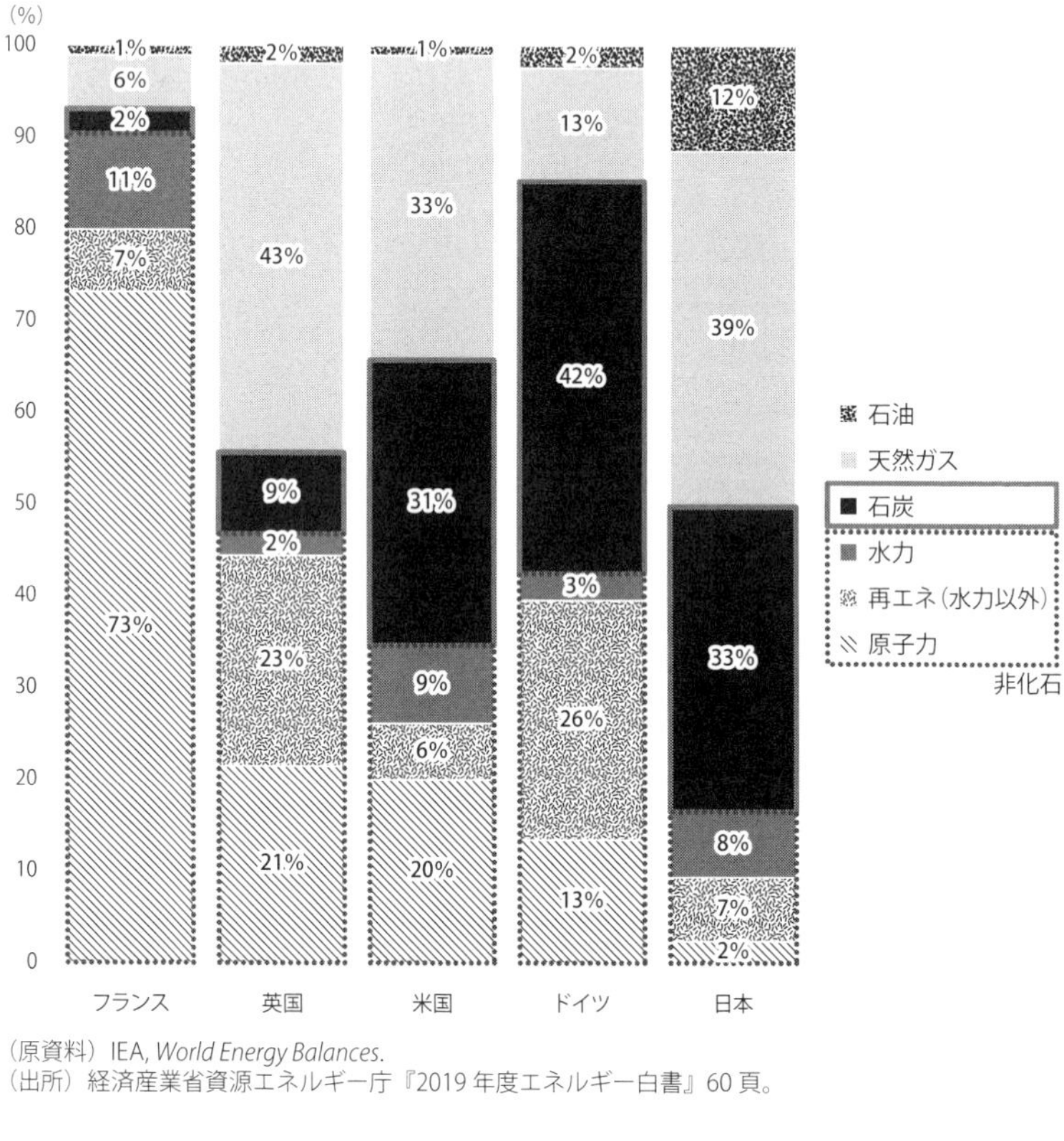

（原資料）IEA, *World Energy Balances*.
（出所）経済産業省資源エネルギー庁『2019年度エネルギー白書』60頁。

ンスが91%、英国が46%、ドイツが42%、米国が35%であるのに対して、日本は17%にとどまる。日本において原子力発電が抱える固有の困難については、本書の第3章で詳述する。その点を念頭におけば、日本の活路は、再生エネの最大限活用にあると言わざるをえない。にもかかわらず、図序-5は、わが国の再生エネ電源比率の低さを伝えている。水力発電を含む再生エネ電源の比率は、ドイツが29%、英国が25%、フランスが18%であるのに対して、日本と米国は15%にとどまるのである。

日本が活路を開くためには、再生可能エネルギーを最大限活用するしかない。その意味で、第5次エネルギー基本計画が2050年を視野に入れて、「再生エネ主力電源化」の方向性を打ち出したことは正しい。何としても、これを空手形にするのではなく、文字どおり実現したい。これが、本書を刊行した動機である。

◉本書の構成

本書では、まず第1章で、第5次エネルギー基本計画が指摘した「再生エネ主力電源化」に向けての諸課題を確認する。続いて第2章で、それらの課題の解決策を展望する。

さらに、「再生エネ主力電源化」の意味を理解するためには、他の電源の見通しについても理解する必要がある。そこで、本書の第3章では原子力発電、第4章では火力発電に、それぞれ目を向ける。また、第5章では、再生エネの活用と深く関係する水素の動向に言及する。

これらの検討をふまえて、第6章では、「再生エネ主力電源化」の担い手について考察する。最後に、「おわりに」では、本書全体の検討結果を概括する。

第1章

「再生可能エネルギー主力電源化」と直面する課題

第5次エネルギー基本計画の検討

◉「再生エネ主力電源化」の明示

日本政府が「再生可能エネルギーの主力電源化」を初めて公式に表明したのは、２０１８年に閣議決定した「第5次エネルギー基本計画」においてであった。まず、この点を確認しておこう。

第5次エネルギー基本計画は、まずその第2章「２０３０年に向けた基本的な方針と政策対応」の第1節「基本的な方針」「3．一次エネルギー構造における各エネルギー源の位置付けと政策の基本的な方向」の「(1)再生可能エネルギー」において、「２０３０年のエネルギーミックスにおける電源構成比率の実現とともに、確実な主力電源化への布石としての取組を早期に進める」（17頁）と記している。また、同章の第2節「２０３０年に向けた政策対応」には「3．再生可能エネルギーの主力電源化に向けた取組」と題する項目を設け、「再生可能エネルギーの主力電源化に向けて国民負担の抑制が待ったなしの課題となっている」（39頁）、「他の電源と比較して競争力ある水準までのコスト削減とFIT制度[1]からの自立化を図り、日本のエネルギー供給の一翼を担う長期安定的な主力電源として持続可能なものとなるよう、円滑な大量導入に向けた取組を引き続き積極的に推進していく」（39頁）と述べている。さらに、同節の「(4)系統制約の克服、調整力の確保」で、「今後、再生可能エネルギーの主力電源化を進める上で、この系統制約を解消していくことが重要となる」（44頁）と書いている。

第3章の「2050年に向けたエネルギー転換・脱炭素化への挑戦」でも、第3節「各選択肢が直面する課題、対応の重点」の「(1)再生可能エネルギーの課題解決方針」で、「価格低下とデジタル技術の発展により、電力システムにおける主力化への期待が高まっている再生可能エネルギーに関しては、経済的に自立し脱炭素化した主力電源化を目指す」（99頁）としている。このように、第5次エネルギー基本計画は、2050年までに再生可能エネルギーを主力電源化することをめざす方針を明確に打ち出したのである。

◉怪しい「再生エネ主力電源化」の本気度

しかし、第5次エネルギー基本計画は、新たに「再生エネ主力電源化」を謳ったにもかかわらず、2015年に決めた2030年の電源構成（電源ミックス）を変えることはせず、再生可能エネルギーの比率を22～24%のままに据え置いた（前掲の図序-1参照）。このことは、「再生エネ主力電源化」に関する政府の本気度を大いに疑わせるものだと言える。

1　固定価格買取制度。FITはFeed In Tariffの略。

ここで忘れてはならないことは、そもそも、２０３０年に再生エネ電源の比率を22～24％にするという２０１５年の経済産業省の決定は、再生可能エネルギーを過小評価したものだという点である。

「２０３０年再生エネ電源22～24％」という経産省決定は、自民党政権時代の２００９年４月に当時の麻生太郎首相が「未来開拓戦略」[2]で打ち出した、「再生可能エネルギー導入指標について、ＥＵ方式を踏まえ、最終エネルギー消費に対する比率（ヒートポンプ等を含む）として２０２０年頃に20％程度（２００５年10％程度）を目指す」（10頁）という目標と比べて、後退したものだと言わざるをえない。この「戦略」の表現は必ずしも明確ではないが、それと「２０３０年再生エネ電源22～24％」方針とを比べると、２０２０年代には再生エネの伸長が抑制されることになると見込まれる。[3]

また、「２０３０年再生エネ電源22～24％」方針は、環境省の委託により民間のシンクタンク（三菱総合研究所）が２０１５年にとりまとめた、「平均的な中位のケースで２０３０年に再生可能エネルギー電源比率は30％超となる」という試算を、[4]大きく下回るものであった。「再生可能エネルギーを最大限導入する」というのが安倍晋三内閣の公約であるが、経産省の「再生可能エネルギー電源22～24％」という決定は、この公約に違反するものだと言わざるをえないのである。

その「再生可能エネルギー電源22～24％」を追認した第５次エネルギー基本計画は、本気で「再生エネ主力電源化」をめざすものなのだろうか。疑問を禁じえない。

◉「再生エネ主力電源化」が直面する課題

第５次エネルギー基本計画を精読すると、面白い点に気づく。もちろん「再生エネ主力電源化」の重要性には言及しているものの、必ずと言っていいほどそれが直面する課題についても強調し、むしろ課題に関する記述の方が「充実している」ことである。

第5次エネルギー基本計画は、まず「はじめに」において、「エネルギー情勢は時々刻々と変化し、前回の計画の策定以降、再生可能エネルギーの価格が世界では大幅に下がるなど大きな変化につながるうねりが見られるが、現段階で完璧なエネルギー源は存在しない」としたうえで、「現状において、太陽光や風力など変動する再生可能エネルギーはディマンドコントロール、揚水、火力等を用いた調整が必要であり、それだけでの完全な脱炭素化は難しい。蓄電・水素と組み合わせれば更に有用となるが、発電コストの海外比での高止まりや系統制約等の課題がある」と続ける（3頁）。「現段階で完璧なエネルギー源は存在しない」のは紛れもない事実だが、「大きな変化につながるうねりが見られる」と述べたわりには、再生エネの問題点ばかりを指摘している印象が強い。

続いて第5次エネルギー基本計画は、再生可能エネルギーに関する「政策の方向性」として、「再生可能エネルギーについては、2013年から導入を最大限加速してきており、引き続き積極的に推進していく。そのため、系統強化、規制の合理化、低コスト化等の研究開発などを着実に進める」とし、「2030年のエネルギーミックスにおける電源構成比率の実現とともに、確実な主力電源化への布石としての取組を早期に進める」と書いている（17頁）。こ

2　内閣府・経済産業省『未来開拓戦略（Jリカバリー・プラン）』2009年4月17日。
3　ここでは、2015年に経済産業省が策定したエネルギー長期需給見通しにおいて、2030年の再生可能エネルギー比率が電源構成（電源ミックス）では22～24%とされているものの、一次エネルギー構成（一次エネルギーミックス）では13～14%にとどまることを想起する必要がある。
4　三菱総合研究所環境・エネルギー研究本部『環境省御中　平成26年度2050年再生可能エネルギー等分散型エネルギー普及可能性検証検討委託業務　報告書』2015年1月、203頁。

こで見落としてはならない点は、２０３０年の電源構成比率（再生エネ電源22～24％）の実現は、「確実な主力電源化への布石」にはならないことである。「再生エネ主力電源化」は、第５次エネルギー基本計画が打ち出した新しい政策であって、２０１３年以降の再生エネ重視策の延長上にある施策では、けっしてない。新政策を導入した以上、旧政策の枠内で設定された２０３０年の電源ミックスを改訂し、22～24％という再生エネ電源の見通しを、30％程度にまで上方修正すべきだったのではあるまいか。

さらに第５次エネルギー基本計画は、第２章第２節の「３．再生可能エネルギーの主力電源化に向けた取組」の導入部分で、以下のように記している。

「再生可能エネルギーをめぐる状況は、大きく変貌している。世界的には、発電コストが急速に低減し、他の電源と比べてもコスト競争力のある電源となってきており、導入量が急増している。我が国においても、２０１２年７月のＦＩＴ制度の導入以降、急速に再生可能エネルギーの導入が進んだが、一方でその発電コストは国際水準と比較して依然高い状況にあり、国民負担の増大をもたらしている。エネルギーミックスにおいては、２０３０年度の導入水準（22～24％）を達成する場合のＦＩＴ制度における買取費用総額を３・７～４兆円程度と見込んでいるが、２０１８年度の買取費用総額は既に３・１兆円程度に達すると想定されており、再生可能エネルギーの主力電源化に向けて国民負担の抑制が待ったなしの課題となっている。また、再生可能エネルギーの導入拡大が進むにつれ、従来の系統運用の下で系統制約が顕在化しており、再生可能エネルギーの出力変動を調整するための調整力の確保も含め、再生可能エネルギーを電力系統へ受け入れるコストも増大している。さらに、地域との共生や発電事業終了後の設備廃棄に関する地元の懸念に加え、小規模電源を中心に将来的な再投資が滞るのではないかといった長期安定的な発電に対する懸念も明らかとなってきている。

このため、ＦＩＴ制度の適切な運用と自立化を促すための制度の在り方の検討、系統制約の克服、調整力の確保、規制のリバランス、低コスト化等の研究開発、廃棄時や再投資のための対応などを着実に進める。引き続き、再生可能エネルギー・水素等関係閣僚会議を政府の司令塔機能として活用するとともに、関係府省庁間の連携を促進する。

他の電源と比較して競争力ある水準までのコスト低減とＦＩＴ制度からの自立化を図り、日本のエネルギー供給の一翼を担う長期安定的な主力電源として持続可能なものとなるよう、円滑な大量導入に向けた取組を引き続き積極的に推進していく」（39頁）。

この記述は、再生可能エネルギーに関する第５次エネルギー基本計画のとらえ方の骨格部分にあたるが、素直に読めば、「再生エネ主力電源化」を一応掲げながらも、むしろ、それが直面する課題（問題点）を強調していることがわかる。ここで指摘されている問題点は、ＦＩＴ制度による国民負担の増大、系統制約の顕在化、調整力の不足、設備廃棄への懸念、将来的な再投資への不安など、多岐にわたる。

このように、第５次エネルギー基本計画を精読すると、「再生エネ主力電源化」には言及しているものの、むしろ、それが直面する課題についての記述の方が「充実している」ことに気づく。本書の序章で、「政府はそもそも『再生エネ主力電源化』を本気で遂行する気がないのではないか」と踏み込んだのは、このためである。

◉太陽光が直面する課題

第５次エネルギー基本計画は、再生可能エネルギーのそれぞれについても、直面する課題を指摘している。以下では、それを順次見ていこう。

まず、太陽光について。

「将来的に大型電源として活用を進めるため、ＦＩＴ制度における中長期的な価格目標（事業用太陽光発電の発電コストの水準が、２０３０年に7円／kWhとなることを目指す等）の実現を目指し、さらなるコスト低減を進めていくことが必要である。発電コストの低減に向けて、革新的な研究開発を推進するとともに、競争を通じてコスト低下を促す入札制度の活用や、中長期的な価格目標に向けてトップランナー方式で調達価格を低下させていく等、ＦＩＴ制度の適切な運用を図っていく。同時に、地域と共生する再生利用困難な荒廃農地の活用等、ポテンシャルの有効活用に取り組む。

また、自家消費やエネルギーの地産地消を行う分散型電源としての活用については、遊休地や学校、工場の屋根の活用など、地域で小規模の太陽光発電の普及が進んでおり、引き続き、こうした取組を支援していく。特に住宅用太陽光発電については、２０１９年以降、順次、ＦＩＴ制度の買取期間を終えるところ、ＦＩＴ制度からの自立に向けた市場環境を醸成するためにも、買取期間の終了とその後に自家消費や小売電気事業者等に相対契約等で余剰電力を売電するといった選択肢があること等について、官民一体となって広報・周知を徹底する。また、自家消費に資する蓄電池の自立的普及に向けた価格低減を進める。

さらに、長期安定的な電源としていくため、地域との共生を図りつつ、将来大量に発生する太陽光パネルの廃棄問題について、法制度の整備も含めた検討を行い、使用済みパネルの適正な廃棄・処理が確実に実施されるよう対応するとともに、小規模な事業用太陽光発電の適切なメンテナンスを確保し、再投資を促す」（39-40頁）。

このように、第5次エネルギー基本計画は、太陽光について、中長期的な価格低減、分散型電源としての活用、蓄電池の価格低減、太陽光パネルの廃棄・処理、メンテナンスの確保と再投資などの諸課題を指摘するとともに、

ＦＩＴ制度の見直し、ＦＩＴ買取期間終了後の自家消費や余剰電力の売電、さらにはＦＩＴ制度からの自立など、ＦＩＴ関連の諸課題にも多々言及している。ＦＩＴ制度の対象となった再生可能エネルギーのうち中心を占めたのは太陽光だった事実を考え合わせれば、他の再生エネに比べて、ＦＩＴ関連の諸課題への言及が増えるのは、当然のことと言えよう。

──◉ 風力が直面する課題

次に、風力について。

「風力発電設備の導入に当たっては、地元との調整や環境アセスメントのほか、立地のための各種規制・制約への対応が必要となり、ＦＩＴ制度の下でも、これらの対応の必要性が小さい太陽光発電設備の導入と比べて導入に時間がかかっている。また、再生可能エネルギーの導入拡大が進むにつれ、現在の送電網の容量が利用され、接続余地が狭くなっていくという問題も存在する。さらに、海外では発電コストが大きく低減する中で、我が国の発電コストは依然高く、ＦＩＴ制度における中長期的な価格目標（浮体式洋上風力発電を除く風力発電の発電コストの水準が、２０３０年までに８～９円／kWhとなることを目指す等）の実現を目指して、機器費・工事費・系統接続費等の大幅なコスト低減を図っていく必要がある。

将来的に大型電源として活用するため、地域との共生を図りつつ、風力発電設備の導入をより短期間で円滑に実現できるよう、環境アセスメントの迅速化や、規模要件の見直しや参考項目の絞り込みといった論点も踏まえた必要な対策の検討、電気事業法上の安全規制の合理化等の必要に応じた取組を引き続き進める。

また、大幅なコスト低減に向けて、低コスト化に向けた技術開発やＦＩＴ制度を活用した競争や効率化の促進等に取り組む。

陸上風力については、北海道や東北をはじめとする風力発電の適地を最大限効率的に活用するため、農林地と調和・共生のとれた活用を目指し、必要に応じて更なる規制・制度の合理化に向けた取組を行う。

洋上風力については、世界的にはコストの低減と導入拡大が急速に進んでいる。陸上風力の導入可能な適地が限定的な我が国において、洋上風力発電の導入拡大は不可欠である。欧州では、海域利用のルール整備とともに入札制度を導入することにより、この数年間で急速なコスト低減が進んでいる。欧州の洋上風力発電に関する取組も参考にしつつ、地域との共生を図る海域利用のルール整備や系統制約、基地港湾への対応、関連手続きの迅速化と価格入札も組み合わせた洋上風力発電の導入促進策を講じていく。また、着床式洋上風力の低コスト化に向けた実証や開発支援を行うとともに、浮体式洋上風力についても、技術の開発や実証を通じた安全性・信頼性・経済性の評価を行う」(40-41頁)。

このように、第5次エネルギー基本計画は、風力について、各種規制の見直し(環境アセスメントの迅速化、規模要件の見直し、参考項目の絞り込み、電気事業法上の安全規制の合理化等)、機器費・工事費・系統接続費等の大幅なコスト低減、系統接続制約の解消などの諸課題を指摘している。そのうえで、陸上風力に関しては規制・制度の合理化、洋上風力に関しては海域利用のルール整備や系統制約、基地港湾への対応、関連手続きの迅速化と価格入札の組み合わせ、着床式・浮体式双方の技術開発を、それぞれ強調している。

◉地熱が直面する課題

続いて、地熱について。

「地熱発電の開発には、時間とコストがかかり、地熱資源の有望地域が一部地域に偏在していることに伴う系統制約も顕在化していることや、風力発電と同様に、地元との調整や環境アセスメントのほか、立地のための各種規制・制約への対応等の課題がある。地熱発電のベースロード電源としての価値を活かしつつ、中長期的には競争力ある自立化した電源として市場売電を中心に活用を進めていくためには、こうした課題を克服していく必要がある。

このため、地熱発電設備の導入をより短期間・低コストで、かつ円滑に実現できるよう、地域の理解促進、投資リスクの軽減、掘削成功率や掘削効率の向上に資する技術開発、環境アセスメントの迅速化の取組を進め、さらには、電気事業法上の安全規制を含む規制・制度の更なる合理化に向けた取組等を必要に応じて行う。

さらに、地熱発電は、発電後の熱水利用など、エネルギーの多段階利用も期待される。例えば、地熱発電所が安定的に電気を供給するとともに、蒸気で作った温水が近隣のホテルや農業用ビニールハウスなどで活用され、地域のエネルギー供給の安定化を支える役割を担っている。こうした利点を踏まえつつ、中長期的な視点を踏まえ、地域と共生した持続可能な開発を引き続き進めるべく、立地のための調整を円滑化するとともに、地熱資源を適切に管理するための制度整備といった取組について検討する。

また、我が国企業の地熱発電設備の世界シェアは、約7割を獲得しているところ、脱炭素化技術の海外展開の観点から、地熱発電の海外展開の促進に向けた支援策のあり方について検討する」(41-42頁)。

このように、第5次エネルギー基本計画は、地熱について、地域の理解促進、投資リスクの軽減、掘削成功率や掘削効率の向上に資する技術開発、環境アセスメントの迅速化、電気事業法上の安全規制の更なる合理化などの諸課題を指摘している。他の再生可能エネルギーと比べて、立地地域との共生や海外展開の促進を強調している点も、特徴的である。

◉水力が直面する課題

続いて、水力について。

「水力発電は安定した出力を維持することが可能なクリーンな電源として重要であるが、開発リスクが高く、新規地点の開拓が難しいことに加え、系統制約などの課題が存在する。地域の治水目的などと合わせて地域との共生を図りつつ、緩やかにコスト低減を図り、自立化を実現していくために、こうした課題を克服していく必要がある。

このため、流量等の立地調査や地元理解の促進等について支援を実施し、開発リスクの低減を図っていく。未開発地点の開発に加え、ＩＴ技術も活用したダムの運用高度化等によって既存ダムの発電量を増加させる取組を推進する。また、設備更新時期を迎えた水力発電設備への最新設備導入による効率化や治水機能との調和を図りながら既存ダムを有効活用すること等により、コスト低減を図りつつ、積極的な導入の拡大を目指す。

さらに、既に許可を受けた農業用水等を利用した発電について、２０１３年の河川法改正による水利権手続の簡素化・円滑化により、引き続き、地域との共生を図りつつ、積極的な導入の拡大を目指す」（42頁）。

このように、第5次エネルギー基本計画は、水力について、新規立地地点の開拓、系統制約の解消、既存ダムの有効活用、農業用水等の発電利用などの諸課題を指摘している。そして、高い開発リスクを軽減するため、流量等の立地調査や地元理解の促進等に関して、支援を実施するとしている。

◉バイオマス等が直面する課題

最後に、バイオマス等について。第5次エネルギー基本計画は、「木質バイオマス等」と「再生可能エネルギー熱」に分けて論じている。

「木質バイオマス等」

バイオマス発電は、燃料費が大半を占める発電コストの低減や燃料の安定調達と持続可能性の確保などといった課題が存在する。こうした課題を克服し、地域での農林業等と合わせた多面的な推進を目指していくことが期待される。

このため、大きな可能性を有する未利用材の安定的・効率的な供給による木質バイオマス発電及び熱利用等について、循環型経済の実現にも資する森林資源の有効活用・林業の活性化のための森林・林業施策や農山漁村再生可能エネルギー法等を通じて積極的に推進し、農林漁業の健全な発展と調和のとれた再生可能エネルギーの導入を推し進めていく。さらに、家畜排せつ物、下水汚泥、食品廃棄物などのバイオマスの利用や、耕作放棄地等を活用した燃料作物バイオマスの導入を進める。

大規模なバイオマス発電を中心に、競争を通じてコスト低減が見込まれるものについては、安定的かつ持続可能な燃料調達を前提に、ＦＩＴ制度に基づく入札制を通じて、コスト効率的な導入を促す。

再生可能エネルギー熱

再生可能エネルギー電気と並んで重要な地域性の高いエネルギーである再生可能エネルギー熱を中心として、下水汚泥・廃材によるバイオマス熱などの利用や、運輸部門における燃料となっている石油製品を一部代替することが可能なバイオ燃料の利用、廃棄物処理における熱回収を、経済性や地域の特性に応じて進めていくことも重要である。

太陽熱、地中熱、雪氷熱、温泉熱、海水熱、河川熱、下水熱等の再生可能エネルギー熱について、熱供給設備の導入支援を図るとともに、複数の需要家群で熱を面的に融通する取組への支援を行うことで、再生可能エネルギー熱の導入拡大を目指す」(42-43頁)。

このように、第5次エネルギー基本計画は、木質バイオマス等について、燃料費の低減、燃料の安定調達、森林・林業施策や農山漁村再生可能エネルギー法の活用、多様なバイオマスの利用などの諸課題を指摘している。また、再生可能エネルギー熱については、バイオマス熱利用の拡大、熱供給設備の導入への支援、面的な熱融通への支援などに言及している。

◉深めるべき論点

ここまで見てきたように第5次エネルギー基本計画は、「再生可能エネルギー主力電源化」を掲げながらも、それが直面する課題について多岐にわたる論点を提示している。ここで、個々の再生エネにかかわる論点を繰り返すことはしないが、再生エネ全般にかかわるものだけでも以下の4点にのぼる。

(1) 発電コストの低減
(2) 系統制約の解消
(3) 設備廃棄への対応
(4) 将来的な再投資の確保

さらに、

(5) ＦＩＴ制度の見直し

(6) 各種規制・制度の見直し

も避けて通ることのできない論点である。

本書の第2章では、これらの論点を念頭において、「再生可能エネ主力電源化」を実現するためには何をなすべきかについて掘り下げる。そして、「再生可能エネ主力電源化」への2つのアプローチを検証する。

再生可能エネルギーをどうするか

主力電源化への2つのアプローチ

◉ 2つのアプローチ

「再生可能エネルギー主力電源化」を実現するためには、何をなすべきか。この問いに対する的確な答えを導くには、2つのアプローチが存在する。

1つは、既存の枠組みを維持したまま、答えを導くアプローチである。そのためには、再生可能エネルギーのそれぞれが抱える固有の問題を解決し、あわせて再生可能エネ全般にかかわる障害を1つ1つクリアしていかねばならない。

もう1つは、「ゲームチェンジ」を起こし、新たな枠組みを創出するアプローチである。具体的には、再生可能エネ電源を熱で調整する「パワー・トゥ・ヒート」と呼ばれる新方式を、本格的に導入することになる。

以下では、まず本章の前段で、前者のアプローチを取り上げる。続いて後段で、後者のアプローチに目を向ける。

◉世界と日本とのギャップ

図2-1は、IEA（国際エネルギー機関）のデータにより作成されたものであり、2040年に向けた世界の一次エネルギーの需要動向を示している。図中の「現行政策」はデータ作成時点で執行されている以上の追加政策は何もとられないケース、「新政策」は温室効果ガスの削減目標などデータ作成時点で発表されている政策目標が達成され、既存技術の進展が続くケース、「持続可能開発」は地球の平均気温の上昇を2℃よりも十分に下げるために必要な措置を逆算して適用したケース、をそれぞれ意味する。

この図は、再生可能エネルギーの需要規模が顕著に増加することを伝えている。水力を含む再生可能エネの需要量は、「現行政策」でも2016年比1・73倍に、「新政策」では1・95倍に、「持続可能開発」にいたっては2・31倍に増えることを予測しているのである。[1]

再生可能エネルギーの需要規模が増大するという見通しが成り立つ背景には、再生可能エネ発電コストが傾向的に低下しているという現

1　経済産業省資源エネルギー庁『エネルギー白書2019』172頁。

図 2-1　世界のエネルギー需要展望

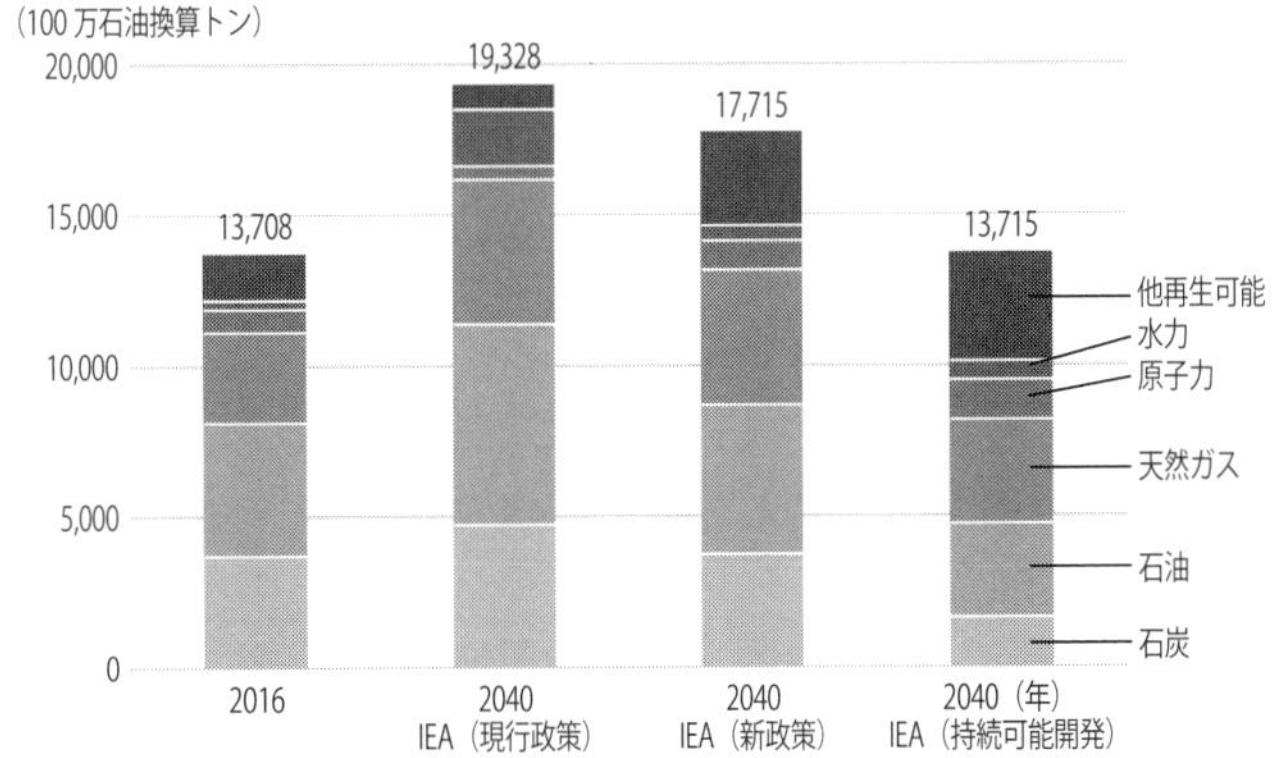

（原資料）IEA, *World Energy Outlook 2018*.
（出所）経済産業省資源エネルギー庁『エネルギー白書 2019』172 頁。

実がある。その点は、図2-2から読み取ることができる。発電コストの低減は太陽光と太陽熱について顕著であり、洋上風力と陸上風力についても基本的にあてはまる。

このような再生可能エネルギーをめぐる世界の状況と比べると、日本の現状は大きく異なる。第5次エネルギー基本計画は、「再生可能エネルギー主力電源化」を掲げながらも、多岐にわたる課題を提示しており、主力電源化が難しいことを強調しているようにさえ読める。再生可能エネ発電コストの低減の面でも日本は各国に遅れをとっており、「再生可能エネは高い」という意識が国民のあいだに広がっている。世界と日本とのあいだには、ギャップが存在するのである。

これに対して、2019年7月1日の総合エネルギー調査会基本政策分科会において資源エネルギー庁が配布した資料は、異なる見方を示している。図2-3を掲げて、「日本の面積当たり再生可能エネ導入規模は高水準であるが、電力需要が大きいため再生可能エネ比率を上げることは難しい」と言うのである。

日本と面積が同程度の国・地域を取り上げ、仮に日本の電力需要規模を分母とし、各国・地域の再生可能エネ導入規模を分子にして、

図 2-2　世界の再生可能エネルギー発電コストの推移（2010 ～ 17 年）

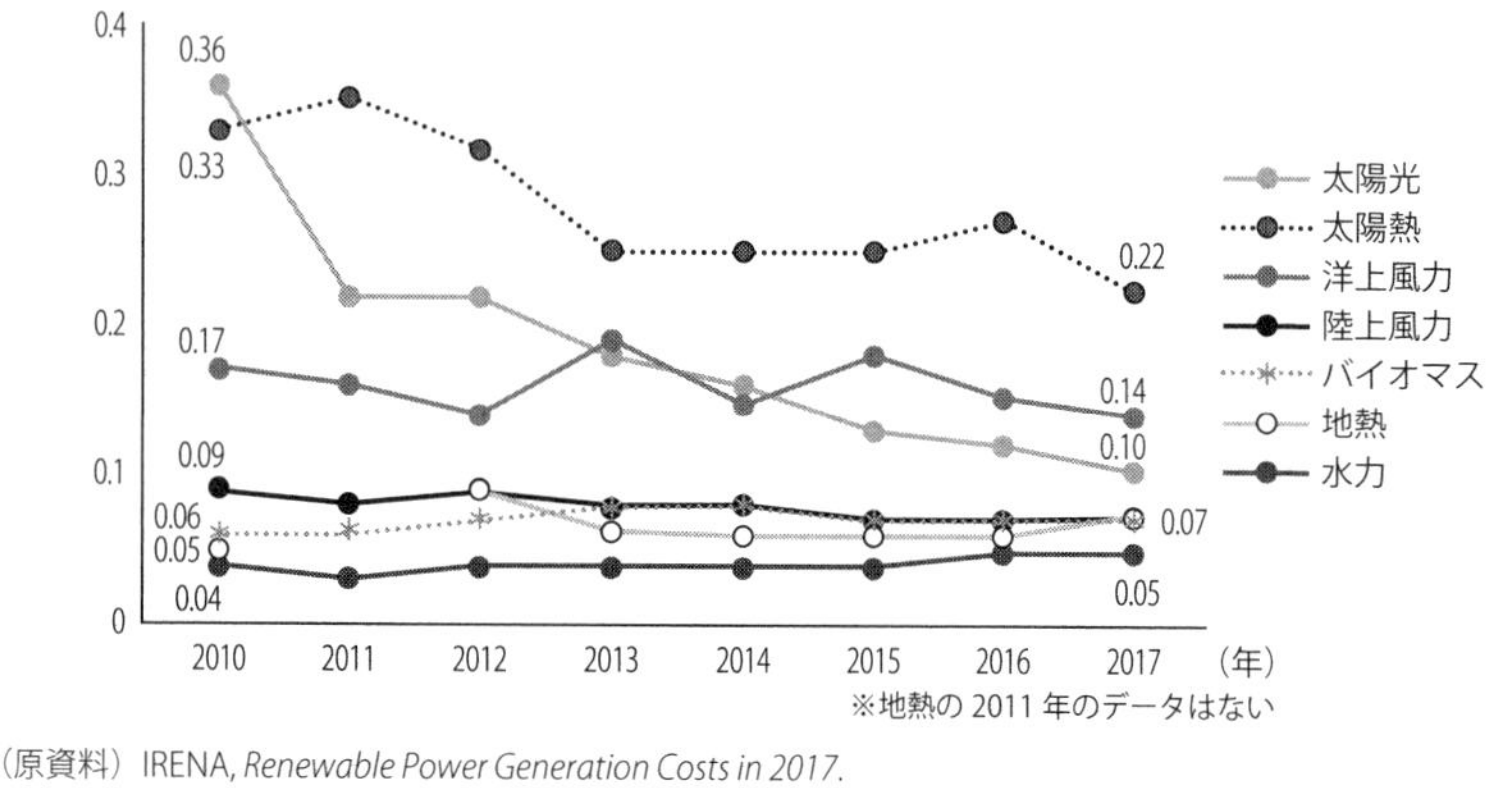

（原資料）IRENA, *Renewable Power Generation Costs in 2017.*
（出所）経済産業省資源エネルギー庁『エネルギー白書 2019』211 頁。
（注）凡例順を 2010 年の高コスト順に入れ換えてある。

再生可能エネ比率を再計算してみると、その比率は、ドイツが29％から18％へ、ノルウェーが98％から14％へ、米国のカリフォルニア州が40％から7％へ、それぞれ低下する。この再計算結果と比べるのであれば、２０１６年の日本の再生可能エネ比率（15％）は遜色がないと言える。また、九州と面積が同程度の国を取り上げ、仮に九州の電力需要規模を分母とし、各国の再生可能エネ導入規模を分子にして、再生可能エネ比率を再計算してみると、その比率は、アルバニアが１００％から７％へ、デンマークが60％から17％へ、それぞれ低下する。この再計算結果と比べるのであれば、２０１６年の九州の再生可能エネ比率（15％）は見劣り

図 2-3　国土面積と再生可能エネルギー導入量との関係（2016 年）

	面積グループ①（日本と同程度）				面積グループ②（九州と同程度）		
	ドイツ	ノルウェー	日本	カリフォルニア	アルバニア	九州	デンマーク
国土面積	35 万㎢	37 万㎢	38 万㎢	42 万㎢	3 万㎢	4 万㎢	4 万㎢
再エネ発電量	1,900 億 kWh 風力 : 800 バイオマス : 500 太陽光 : 400	1,450 億 kWh 水力 : 1430 風力 : 20	1,600 億 kWh 水力 : 800 太陽光 : 500 バイオマス : 200	800 億 kWh 水力 : 300 太陽光 : 200 風力 : 100	80 億 kWh 水力 : 80	170 億 kWh 太陽光 : 80 水力 : 50 バイオマス : 30	180 億 kWh 風力 : 130 バイオマス : 50 太陽光 : 10
面積当たり再エネ	54 万 kWh/㎢ 風力 : 22 バイオマス : 15 太陽光 : 11	40 万 kWh/㎢ 水力 : 39 風力 : 1	41 万 kWh/㎢ 水力 : 21 太陽光 : 13 バイオマス : 4	19 万 kWh/㎢ 水力 : 7 太陽光 : 4 風力 : 3	28 万 kWh/㎢ 水力 : 28	40 万 kWh/㎢ 太陽光 : 18 水力 : 13 バイオマス : 7	44 万 kWh/㎢ 風力 : 30 バイオマス : 12 太陽光 : 2
需要規模（純輸出入）※需要は総発電量	6,400 億 kWh （純輸出 500 億 kWh）	1,500 億 kWh （純輸出 200 億 kWh）	10,500 億 kWh （輸出入なし）	2,000 億 kWh （純輸入 700 億 kWh）	80 億 kWh （純輸出 0.4 億 kWh）	1,090 億 kWh （純輸出 140 億 kWh）	310 億 kWh （純輸入 50 億 kWh）
再エネ比率	29% 風力 : 12% バイオマス : 8% 太陽光 : 6%	98% 水力 : 96% 風力 : 1%	15% 水力 : 8% 太陽光 : 5% バイオマス : 2%	40% 水力 : 15% 太陽光 : 10% 風力 : 7%	100% 水力 : 100%	15% 太陽光 : 7% 水力 : 5% バイオマス : 3%	60% 風力 : 42% バイオマス : 16% 太陽光 : 2%
	仮に日本の需要でそれぞれ再エネ比率を計算した場合				仮に九州の需要でそれぞれ再エネ比率を計算した場合		
	18%	14%	15%	7%	7%	15%	17%

（出所）経済産業省資源エネルギー庁『昨今のエネルギーを巡る動向とエネルギー転換・脱炭素化に向けた政策の進捗』55 頁から抜粋。原資料は IEA、EIA、World Bank、総務省統計など各種データ。

がしないと言える。これが、図2-3から資源エネルギー庁が導いた結論である。

しかし、裏返して見ればこの結論は、「国土が狭く、電力需要が大きい日本では、再生可能エネ比率を高めることは困難だ」と述べているに等しい。つまり、「再生可能エネ主力電源化」を端から諦めているように映る。これで良いのだろうか。

◉「再生可能エネルギー主力電源化」へ向けた政府の方針

そもそも日本政府は、「再生可能エネルギー主力電源化」に向けて、どう取り組もうとしているのだろうか。図2-4は、資源エネルギー庁がその取組みの概要をまとめたものである。

この図で資源エネルギー庁は、「再生可能エネルギーの主力電源化」のためには①「発電コスト」の低減と②「事業環境」の整備が重要であるとし、これまで、①に関しては「未稼働案件への対応」や「価格目標の前倒し・入札対象範囲の拡大」、②に関しては「長期安定的な事業運営の確保」「一般海域の利用ルール（再エネ海域利用法）の整備」に、それぞれ取り組んできたとしている。また、「再エネの大量導入を支える次世代電力NW（ネットワーク）への構築」のために、「既存系統の「すき間」の更なる活用」や「再エネ大量導入時代のNWコスト改革」も進めてきたと述べている。そのうえで、「今後の方向性」として打ち出しているのは、「既認定案件の適正な導入と国民負担の抑制」、「電源の特性に応じた政策措置の在り方の検討」、「責任ある長期安定電源としての適正な事業規律の検討」、「再エネの適地偏在性を踏まえた計画的かつ効率的なNW形成の在り方の検討」、「出力制御の運用最適化に向けた対応」の5点をあげている。

これら5つの方向性それ自体が有意義であることは、確かである。しかし、いずれも漠然としており、現時点で

図 2-4　資源エネルギー庁による「再生可能エネルギー主力電源化に向けた取組」

	課題・エネ基の方向性		これまでの主な取組	今後の方向性（議論中）	
再生可能エネルギーの主力電源化	発電コスト	・欧州の２倍 ・これまで国民負担年額２兆円／年で再エネ＋5%（10%→15%） →今後＋１兆円／年で＋9%（15%→24%）が必要	**未稼働案件への対応** ・2012～2014 年度認定の事業用太陽光で、一定時期までに運転開始準備段階に至らない未稼働ものは価格減額 ・加えて早期運転開始を担保する措置 →2015・16 年度認定の事業用太陽光にも同様に措置する方針	電源の特性に応じた制度の在り方	**既認定案件の適正な導入と国民負担の抑制** （未稼働案件への対応の徹底と低コスト新規案件の開発促進等）
		コストダウンの加速化とFIT からの自立化	**価格目標前倒し・入札対象範囲拡大** ・事業用太陽光について、価格目標は「2030 年７円」を前倒し、入札対象範囲は「2,000kW 以上」を拡大する方向性で、調達価格等算定委員会での検討開始 →価格目標は「2025 年７円」に５年前倒し、入札対象範囲は「500kW 以上」とすることを、経産省として決定		**電源の特性に応じた政策措置の在り方の検討** （競争力ある電源への成長モデル／地域で活用される電源としてのモデル）
	事業環境	・長期安定発電を支える環境が未成熟 ・洋上風力等の立地制約	**長期安定的な事業運営の確保** ・条例作成等の先進事例を自治体間で共有する地域共生を図る情報連絡会の設置 →太陽光発電設備の廃棄等費用確保方法について、専門的検討の場を立ち上げ検討開始（原則外部積立）	適正な事業規律	**責任ある長期安定電源としての適正な事業規律の検討** （太陽光発電設備の廃棄等費用の積立てを担保する制度の具体化等）
		長期安定的な事業運営の確保	**一般海域の利用ルール（再エネ海域利用法）整備** ・洋上風力導入拡大へ、価格入札と合わせ、一般海域の長期占用ルールを整備 →再エネ海域利用法を施行し、自治体からの情報提供等を踏まえ、有望な区域を整理	次世代電力NWへの転換	**再エネの適地偏在性を踏まえた計画的かつ効率的な NW 形成の在り方の検討** （地域間連系線の増強／洋上風力等の再エネの規模・特性に応じた系統形成／次世代 NW 投資の確保等）
再エネの大量導入を支える次世代電力NWの構築	系統制約	・既存系統と再エネ立地ポテンシャルの不一致 ・系統需要の構造的減少 ・変動再エネの導入拡大	**既存系統の「すき間」の更なる活用** ・実績に基づく空き容量算出の仕組みを導入 ・緊急時用の枠を解放する取組を一部実施 →約 4,630 万 kW の接続可能容量の増加を確認		
	調整力	**アクションプランの着実な実行**	**再エネ大量導入時代の NW コスト改革** ・NW コストの徹底的な削減を促す仕組み ・次世代 NW 転換に向け制度環境整備の検討 →地域間連系線の費用負担方式の検討（FIT 賦課金方式）を「プッシュ型」の系統形成への転換（小規模安定再エネに配慮）を審議会で議論		**出力制御の運用最適化に向けた対応** （出力制御の対象の適切な範囲の在り方の検討等）

（出所）経済産業省資源エネルギー庁『昨今のエネルギーを巡る動向とエネルギー転換・脱炭素化に向けた政策の進捗』25 頁。

具体策を欠いていることは否定のしようがない。図2-4は、「再生可能エネルギー主力電源化」への道筋を明示したものではないのである。

◉太陽光の方向性

「再生可能エネルギー主力電源化」への道筋を明確にするには、どうすればよいのか。以下では、まず、既存の枠組みを維持したまま、答えを導くアプローチをとる。はじめに各々の再生可能エネについて、そののちに再生可能エネ全体について、主力電源化への道筋を考察することにしよう。

最初に取り上げるのは、太陽光である。

図2-5からわかるように、世界の太陽光発電の累積導入量は、2010年代にはいってから急増している。累積導入量が最大の国は中国で、2015年にドイツを抜いて以降、その地位は揺らいでいない。日本でも、2012年7月にFIT（固定価格買取）制度が導入されて以降、太陽光導入量が急増しており、2017年度の導入量

図2-5　世界の太陽光発電の累積導入量の推移（2000～17年）

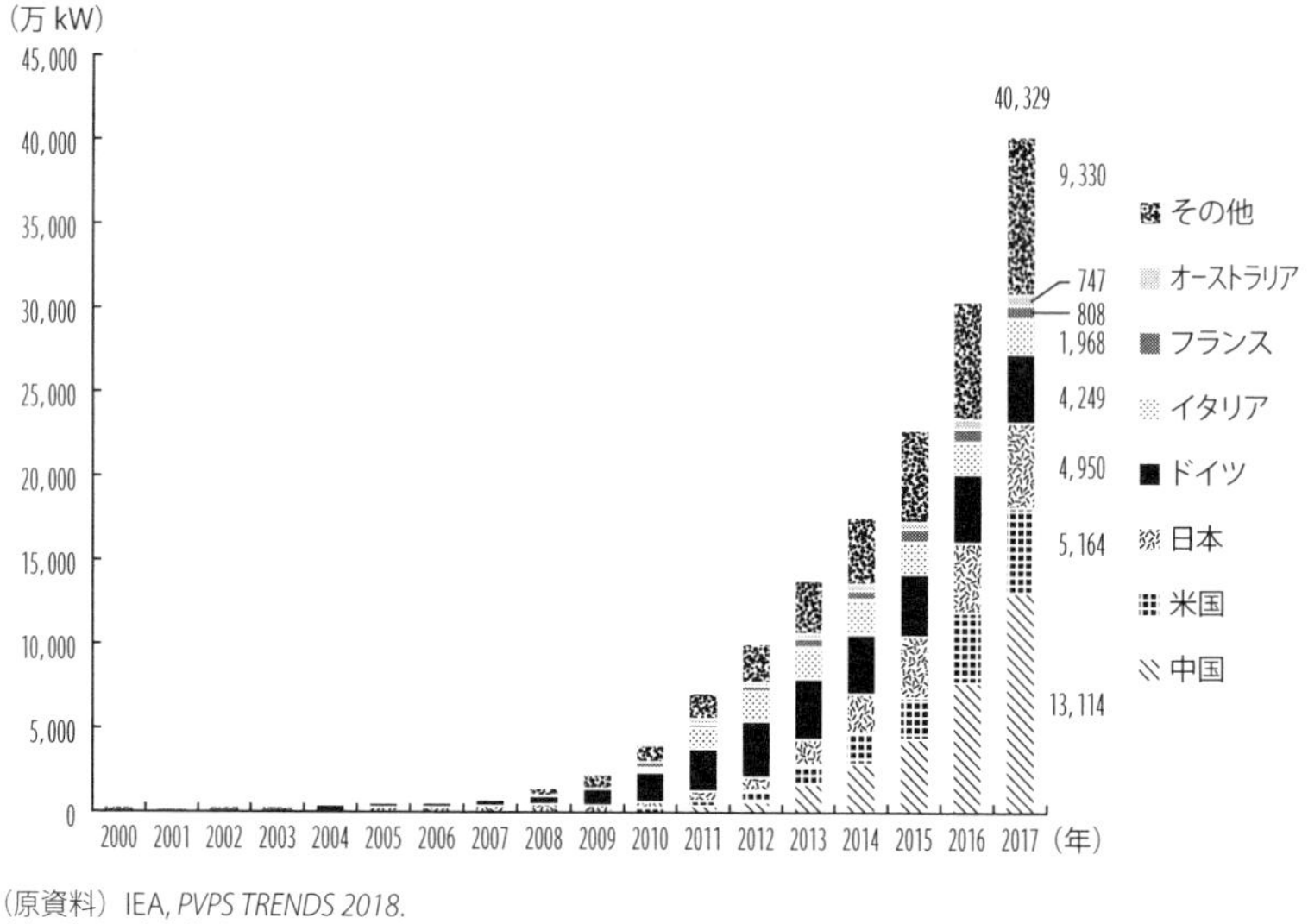

（原資料）IEA, *PVPS TRENDS 2018*.
（出所）経済産業省資源エネルギー庁『エネルギー白書2019』208頁。

（4950万kW）は、中国・米国に次いで、世界第3位であった。

太陽光発電が国際的規模で急速に普及した背景には、発電コストの低減がある（前掲の図2-2参照）。この点で日本は遅れをとるが、それを取り返すため、政府は取組みを強めている。図2-6は、資源エネルギー庁による事業用太陽光の価格目標のイメージを表したものである。この図が示すように、FIT制度発足当初、kWh当たり40円だった事業用太陽光の買取価格は、2018年にはkWh当たり18円にまで低下した。今後の価格目標ついて、2019年度の『エネルギー白書』は、次のように説明している。

「2019年1月9日、調達価格等算定委員会[2]において、事業用太陽光発電の「2030年発電コスト7円/kWh」という目標を5年前倒すとともに、住宅用太陽光発電についても、事業用のコスト低減スピードと合わせて、「売電価格が卸電力市場価格並み」という価格目標を達成する年限を「2025年」と明確化するべきとする意見がまとめられました[3]」。

2 調達価格等算定委員会の主管は、資源エネルギー庁省エネルギー・新エネルギー部新エネルギー課。

3 経済産業省資源エネルギー庁『エネルギー白書2019』245頁。

図2-6　資源エネルギー庁による事業用太陽光の価格目標のイメージ（2012～30年）

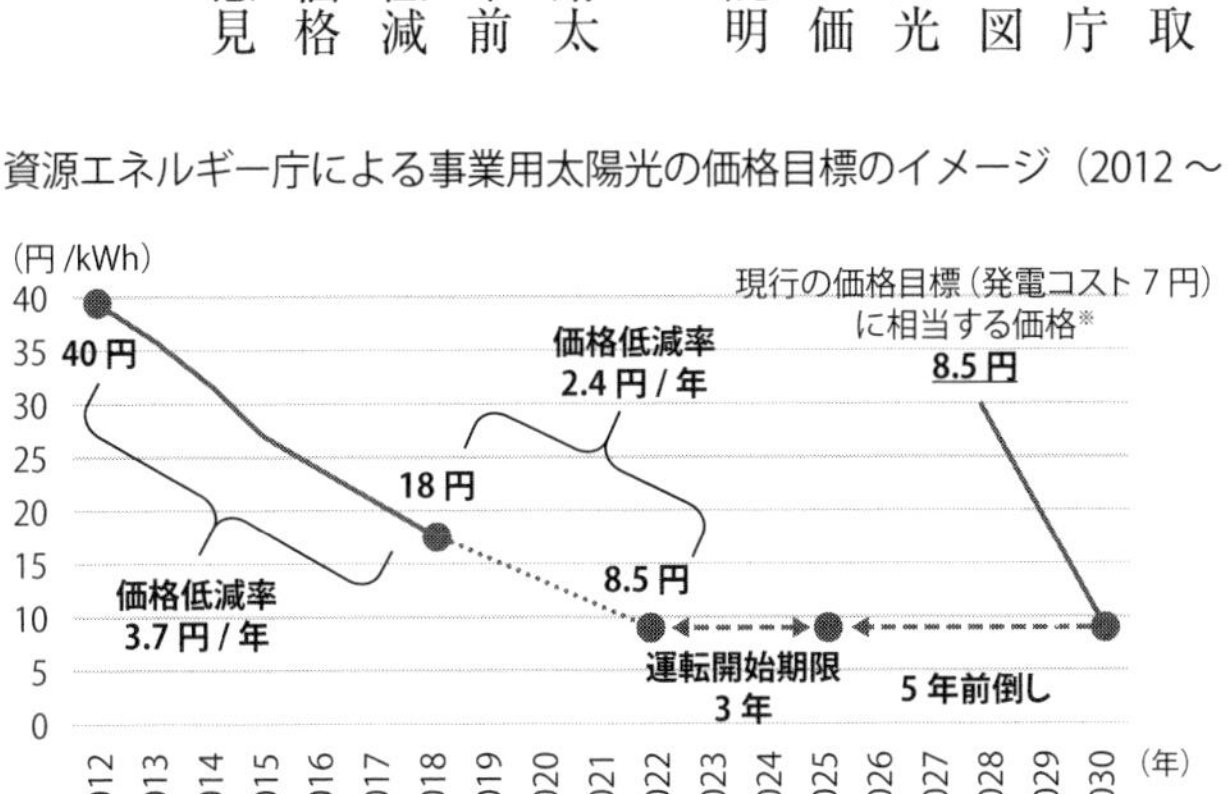

※割引率（IRR）は現在の調達価格の想定（5%）を用いており、この水準が変動する場合、価格目標を達成するための価格は変わりうる。

（出所）経済産業省資源エネルギー庁『エネルギー白書2019』245頁。

なお、図中に注記されているように、事業用太陽光発電コストを7円／kWhとすることは、価格を8・5円／kWhとすることに相当する。

わが国における太陽光発電コストが割高であることについては、その一因として、FIT制度の逆機能をあげるべきであろう。当初の買取価格が高く設定されたために、コストダウンへのインセンティブが後退したのである。国民負担の軽減という観点からだけでなく、太陽光発電コストの低減という観点からも、FIT制度の根本的な見直しは、必要不可欠である。

しかし、太陽光発電の普及のためには、FIT制度の見直し以外にもやることがある。2018年10月に九州電力が始めた出力制御（送電系統の容量が満杯になったとの理由で、太陽光発電等の再生可能エネ電源に出力抑制を求めること）のような事態が起こらないようにすること、つまり系統制約の解消が、重要な課題である。ただし、系統制約の解消は、太陽光にとどまらず、風力や水力などを含め再生可能エネ全般にかかわる課題であるため、ひととおり各種再生可能エネの方向性を検討したのち、再論することにしたい。

ほかにも、本書の第1章で見たように、2018年に閣議決定された第5次エネルギー基本計画は、太陽光について、FIT制度の見直しとともに、①中長期的な価格低減、②分散型電源としての活用、③蓄電池の価格低減、④太陽光パネルの廃棄・処理、⑤メンテナンスの確保と再投資などの諸課題を指摘している。

これらの課題は、①～③と④～⑤に大きく2分することができる。①～③の課題は、いずれも発電コストの低減と深くかかわっている。

ただし、太陽光については、発電コスト以外にも、大きな問題が存在する。それは、先に指摘した④「太陽光パネルの廃棄・処理」と、⑤「メンテナンスの確保と再投資」などにかかわる問題である。

図2-7は、日本における太陽光パネルの排出見込み量を、2049年度まで示したものである。この図の(A)の「FIT後大量排出シナリオ」や(B)の「FIT後賃貸土地分排出シナリオ」、(C)の「FIT後定期借地分排出シナリオ」からわかるように、FIT制度による20年間の買取期間が終了すると、大量の太陽光パネルが廃棄されるおそれがある。それに備えて、廃棄パネルの処理と新規パネルへの代替、使用継続パネルのメンテナンスなどに取り組む必要があると言える。

第5次エネルギー基本計画は、2015年策定のエネルギーミックスを追認し、2030年の電源構成に占める太陽光発電の比率を7・0%と見通した。しかし実際には、系統制約を解消し、発電コストを低減することができれば、太陽光発電の比率を10%にまで上昇させることは、十分に可能であろう。

◉風力の方向性

次に、風力に目を向けよう。

図 2-7　日本における太陽光パネルの排出見込み量（2015 ～ 49 年度）

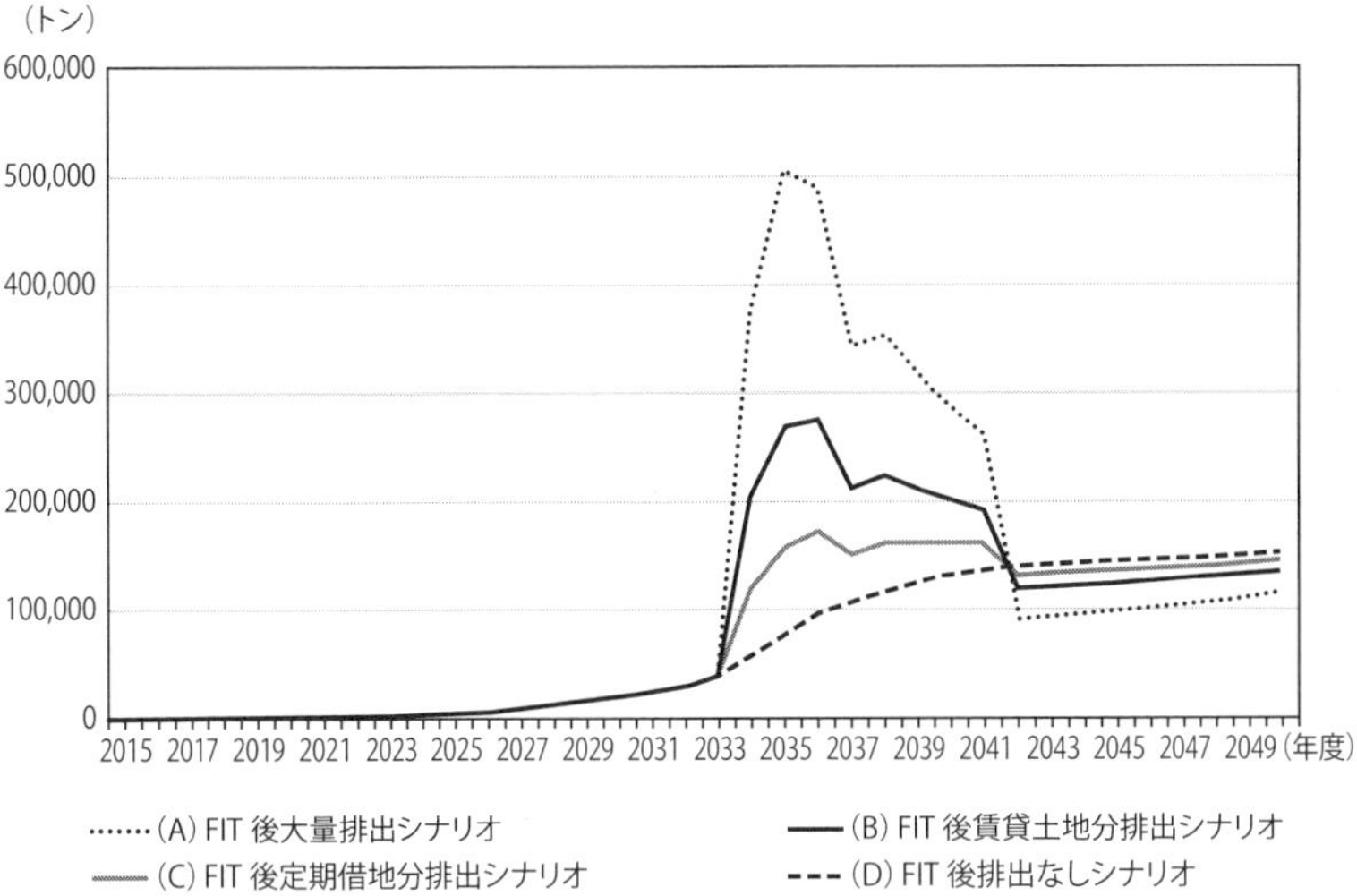

（原資料）NEDO（国立研究開発法人新エネルギー・産業技術総合開発機構）推計。
（出所）経済産業省資源エネルギー庁『エネルギー白書 2019』251 頁。

図2‐8が示すように、世界の風力発電の設備容量は、21世紀にはいって大幅に増加を続けている。設備容量が最大の国は、風力発電についても中国である。日本の風力発電の導入量は、FIT制度導入後増加した太陽光発電の場合とは異なり、今のところ大きくない。

既述のように、第5次エネルギー基本計画は、風力について、陸上と海上に分けて諸課題を指摘している。陸上風力に関しては規制・制度の合理化、洋上風力に関しては海域利用のルール整備や系統制約、基地港湾への対応、関連手続きの迅速化と価格入札の組み合わせ、着床式・浮体式双方の技術開発を、それぞれ強調しているわけであるが、政策的な力点は洋上風力の方におかれているように見える。

これまで洋上風力については、海域の占用に関する統一的なルールがない、先行利用者との調整の枠組みが不明確である、などの事情が、

図 2-8　世界の風力発電の導入状況（2000 ～ 18 年）

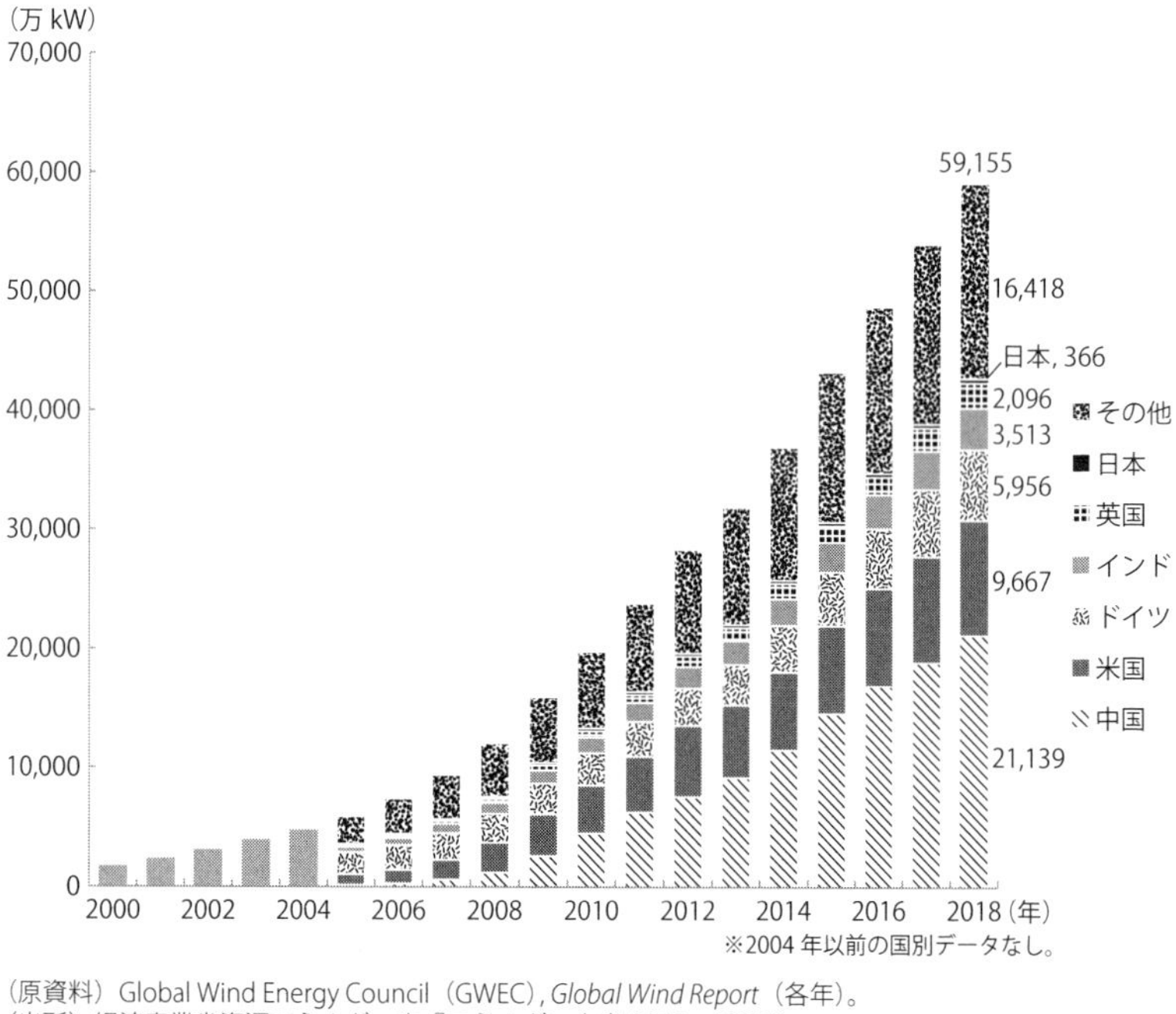

（原資料）Global Wind Energy Council（GWEC）, *Global Wind Report*（各年）。
（出所）経済産業省資源エネルギー庁『エネルギー白書 2019』209 頁。

開発を阻んできた。これらの問題に対処するため、2019年4月に「海洋再生可能エネルギー発電設備の整備に係る海域の利用の促進に関する法律」(再エネ海域利用法)が施行され、事前調査の実施、先行利用者等をメンバーに含む協議会の設置、促進区域の指定、事業者選定のための公募実施、海域占用の許可等を国が主導することで、洋上風力発電事業を行いやすい環境の整備が図られた。[4]

図2-9は、日本における洋上風力発電の導入状況および計画をまとめたものである。今後、再エネ海域利用法の施行を機に、洋上風力発電の開発が活発化することが期待される。

2018年に閣議決定された第5次エネルギー基本計画は、2015年策定のエネルギー

4　以上の点については、経済産業省資源エネルギー庁『30年度エネルギー白書2019』252-253頁参照。

図 2-9　日本における洋上風力発電の導入状況と計画

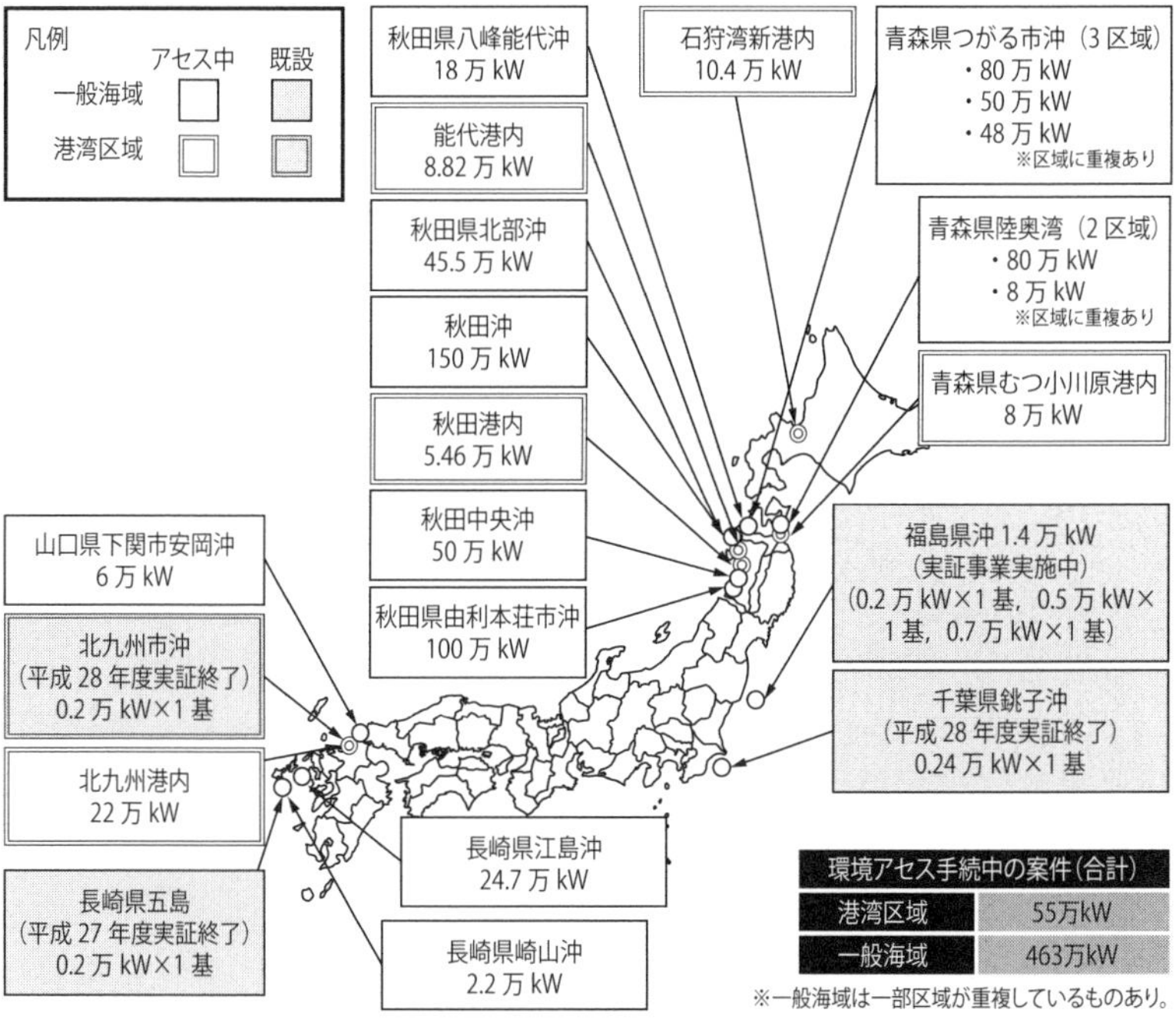

（原資料）経済産業省資源エネルギー庁作成。
（出所）経済産業省資源エネルギー庁『エネルギー白書 2019』253 頁。

ミックスを追認し、２０３０年の電源構成に占める風力発電の比率を１・７%と見通した。しかし実際には、洋上風力開発が活発化するなどすれば、風力発電の比率を５%にまで上昇させることは、大いに可能であろう。

◉地熱の方向性

続いて、地熱を取り上げる。

図２-10からわかるように、世界の地熱発電の設備容量は、21世紀にはいって着実に増加傾向をたどっている。設備容量が最大の国は、米国である。国際的な増加傾向とは異なり、日本の地熱発電の設備容量は、21世紀になってもあまり増えていない。

表２-１は、主要国における地熱資源量と２０１７年末時点での地熱発電設備容量を示している。この図から、火山国である日本は、米国・インドネシアに次いで、世界第３位の地熱資源保有国であることがわかる。一方で、日本の地熱発電設備容量は、国際的に見て小規模である。地熱発電に関しては、保有資源量と発電設備容量とのあ

図 2-10　世界の地熱発電の導入状況（2000 ～ 17 年）

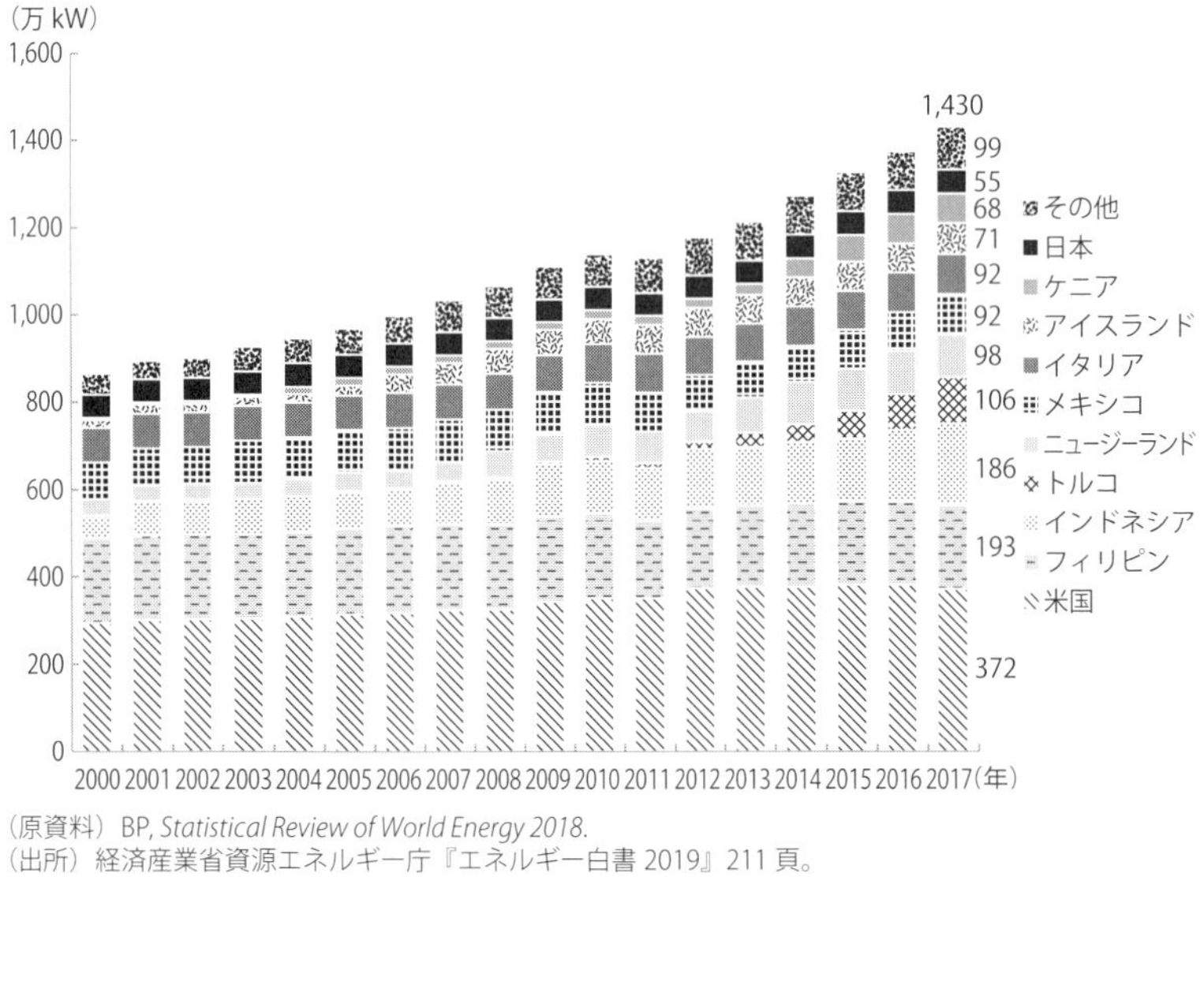

（原資料）BP, *Statistical Review of World Energy 2018.*
（出所）経済産業省資源エネルギー庁『エネルギー白書 2019』211 頁。

いだに大きなギャップが存在するのである。

既述のように、第5次エネルギー基本計画は、地熱について、地域の理解促進、投資リスクの軽減、掘削成功率や掘削効率の向上に資する技術開発、環境アセスメントの迅速化、電気事業法上の安全規制の更なる合理化などの諸課題を指摘している。これらのうちとくに重要な意味をもつのは、「環境アセスメントの迅速化」と「地域の理解促進」である。

日本の地熱開発には、2つのボトルネックがある。

1つは、環境規制の厳しさ、なかでも環境アセスメントの期間が長いことである。わが国の地熱資源は国立公園・国定公園の内部ないし周辺に集中しているという事情もあって、地熱発電所建設に対する環境規制が厳しい。それと地熱開発との折り合いをどうつけていくかは難しい問題であるが、逆に言えば、環境アセスメントの迅速化などの規制緩和が進めば、地熱開発は進展することになる。

もう1つは、日本固有の産業とも言える温泉産業に携わる関係者の反対である。温泉業者の反対は、地熱開発にとって深刻な障害となる。一例をあげよう。日本国内での電源立地に関し

表 2-1　主要国における地熱資源量と地熱発電設備容量

国名	地熱資源量（万 kW）	地熱発電設備容量（万 kW）2017 年末時点
米国	3,000	372
インドネシア	2,779	186
日本	2,347	55
ケニア	700	68
フィリピン	600	193
メキシコ	600	92
アイスランド	580	71
ニュージーランド	365	98
イタリア	327	92
ペルー	300	0

（原資料）地熱資源量は国際協力機構作成資料（2010 年）および産業総合技術研究所作成資料（2008 年）より、地熱発電設備容量は BP, *Statistical Review of World Energy 2018* より、それぞれ抜粋して作成。

（出所）経済産業省資源エネルギー庁『エネルギー白書 2019』148 頁。

て、自民党の国会議員の多くは、原子力から太陽光・風力にいたるまで、基本的には賛成する。ところが、地熱発電の立地についてだけは、それに反対する。温泉業者関係の票が逃げることをおそれるからである。自民党の国会議員が反対する電源の開発は難しい。これが、地熱開発が直面するもう1つのボトルネックである。

このボトルネックの解決はなかなか困難であるが、例えば、九州の別府・杉乃井ホテルとか霧島国際ホテルのように、温泉業者自身が地熱発電を導入するという方法がある。また、九州電力と出光昭和シェルが共同運営する滝上発電所（大分県）で実際に行われているように、地熱発電で使い終わった暖かい蒸気を地中に戻す際に、その一部を地元に供給することも有効である。地熱発電への依存度が高いニュージーランドでは、地熱資源が集中する地域に住むマオリ族に対して、生活用・農業用の蒸気供給が広く実施されている。いずれにしても、地域の理解促進が進めば、地熱発電が拡大することはまちがいない。

第5次エネルギー基本計画は、2015年策定のエネルギーミックスを追認し、2030年の電源構成に占める地熱発電の比率を1・0～1・1%と見通した。しかし実際には、上記の2つのボトルネックを軽減ないし解消する諸方策を推進すれば、2030年の地熱発電の比率を2%にまで上昇させることは、十分に可能である。

◉水力の方向性

次に目を向けるのは、水力である。

図2-11にあるとおり、世界の水力発電の設備容量は、21世紀にはいって着実に増加している。設備容量が最大の国は、中国である。水力開発が一巡したため、日本の水力発電の設備容量は、21世紀になってもほとんど増えていない。

既述のように、第5次エネルギー基本計画は、水力について、新規立地地点の開拓、系統制約の解消、既存ダムの有効活用、農業用水等の発電利用などの諸課題を指摘している。これらのうち「新規立地地点の開拓」は、水力開発が一巡したという現実をふまえると、そう簡単には進まない。「系統制約の解消」は、水力よりもむしろ太陽光・風力と深くかかわる問題であるが、のちに取り上げる。残る課題で重要性をもつのは、「既存ダムの有効活用」と「農業用水等の発電利用」である。

水力発電に関する新規立地地点の開拓が困難な状況のもとで、期待が高まるのは、既存の防災用ダム、農業用水、上下水道水などの発電利用である。ただし、これらには国民生活を支えるうえでの重要な使命があり、その利用方法に関しては厳しい規制が存在する。水力の発電利用に関しても、規制緩和の進め方が、カギを握っ

図 2-11　世界の水力発電の設備容量の推移（2000 ～ 17 年）

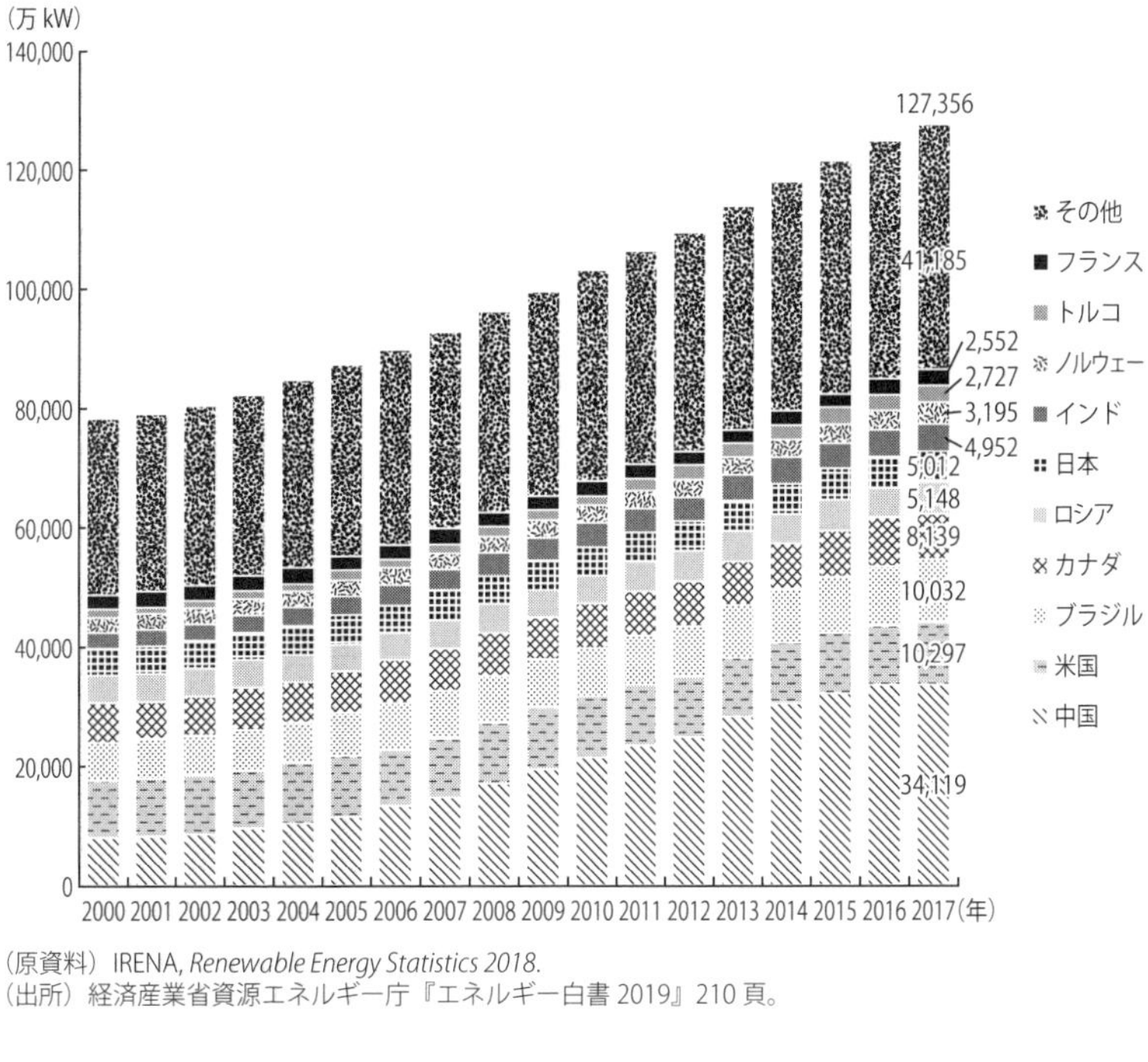

（原資料）IRENA, *Renewable Energy Statistics 2018.*
（出所）経済産業省資源エネルギー庁『エネルギー白書 2019』210 頁。

ているわけである。

第5次エネルギー基本計画は、2015年策定のエネルギーミックスを追認し、2030年の電源構成に占める水力発電の比率を8・8~9・2%と見通した。水力については、開発が一巡した状況下で伸びしろはそれほど大きくはなく、この第5次エネルギー基本計画の見通しは、大筋において妥当だと評価することができる。

◉バイオマス等の方向性

最後に、バイオマス等を取り上げよう。

表2-2は、世界各地域のバイオマスの利用状況を示したものである。2016年時点での一次エネルギー供給に占めるバイオマスの比率は、世界全体では9・5%と、比較的高い。その比率は、非OECD（経済協力開発機構）諸国の方がOECD諸国より高位であるが、OECD諸国のなかでは欧州の高率（8・1%）が目につく。これに対して日本の比率は、1・9%と低位である。

既述のように、第5次エネルギー基本計画は、バイオ

表 2-2　世界各地域のバイオマスの利用状況（2016 年）

	バイオマス（Mtoe）	一次エネルギー総供給	シェア（%）
OECD	283.0	5,274.8	5.4
欧州	138.8	1,723.4	8.1
米州	126.4	2,669.7	4.7
アジア・オセアニア	17.8	881.7	2.0
非 OECD	1,025.1	8,088.2	12.7
アフリカ	390.4	817.8	47.7
中南米	124.5	617.1	20.2
アジア（中国除く）	382.2	1,816.3	21.0
中国	108.0	2,972.5	3.6
非 OECD 欧州およびユーラシア	19.2	1,130.4	1.7
中東	0.8	734.1	0.1
世界計	1,308.1	13,761.4	9.5
日本	8.0	425.6	1.9

※中国の値は香港も含む。

（原資料）IEA, *World Energy Balances 2018 Edition.*
（出所）経済産業省資源エネルギー庁『エネルギー白書 2019』209 頁。

マスについて、燃料費の低減、燃料の安定調達、森林・林業施策や農山漁村再生可能エネルギー法の活用、多様なバイオマスの利用などの諸課題を指摘している。これらのうちとくに重要な意味をもつのは、「森林・林業施策」の推進である。

バイオマス発電拡大にとっての最大のボトルネックは、物流コストの高さにある。それが生じる根本的な原因は、日本の林業の脆弱化に求めることができる。現在でも、林業組合が元気な地域では、バイオマス発電が拡大している。ここでは、林業の再建こそが、最大の課題であろう。

第5次エネルギー基本計画は、2015年策定のエネルギーミックスを追認し、2030年の電源構成に占めるバイオマス発電の比率を3・7〜4・6%と見通した。この見通しは、輸入バイオマス燃料の大量使用を織り込んでいる。国内林業の活性化に時間がかかることを念頭におけば、第5次エネルギー基本計画の見通しは、大筋において妥当だと評価することができる。

◉系統制約の解消

ここまで順次論じてきた各種の再生可能エネルギーのうち後半で取り上げた地熱、水力、バイオマスによる発電は、稼働率も高く、出力変動もあまりない。つまり、系統にかかる負担は小さいわけであるが、一方で、それぞれにボトルネックがあって、なかなか出力が増加しない現実に直面している。したがって、伸びしろはそれほど大きくなく、地熱発電の比率に上昇の可能性があるものの、第5次エネルギー基本計画が確認した地熱、水力、バイオマスの合計で2030年の電源構成の13・5〜14・9%を占めるという見通しが上方修正される余地は、それほどないだろう。

一方、それとは対照的に、前半で取り上げた太陽光と風力には、大いに伸びしろがある。第5次エネルギー基本計画は、2030年の電源構成において太陽光は7・0％、風力は1・7％と見通したが、太陽光は10％程度、風力は5％程度まで、構成比を上昇させることが可能である。

この構成比上昇の成否を決定づけるほどの重要性をもつのが、系統制約問題の帰趨である。ここではまず、系統制約問題とは何かを、確認しておこう。

図2-12は、再生可能エネルギーの発電量と出力制御との関係を説明したものである。左側の図のように、需要が大きい日には、再生可能エネの発電量・接続量が増加しても、出力制御は行われない。ところが、右側の図のように需要が小さい日には、再生可能エネの発電量・接続量が増加すると、需要量を表す線の上に出てしまう分だけ、出力制御が行われる。春のゴールデンウィークや秋の週末など需要が小さくなる日に、空が晴れて日中、太陽光発電の発電量・接続量が増えると、出力制御が実行されるわけである。

経済産業省は、系統制約問題を解決するため、「日本版コネクト&マネージ」という考え方を打ち出した。図2-13からわかるように、その骨子は、①全電源フル稼働を想定せず実態により近い想定にもとづいた空き容量の想定、②事故時に瞬時遮断する装置の導入による緊急時用の枠のある程度の開放、③混雑時の出力制御を前提とした新規接続の許容、という3点からなる。

これら3点は、いずれも重要な措置である。今後、「日本版コネクト&マネージ」にもとづいてどのような具体的な施策が講じられ、それがどれくらい実効性を発揮

図2-12　再生可能エネルギー発電量と出力制御との関係

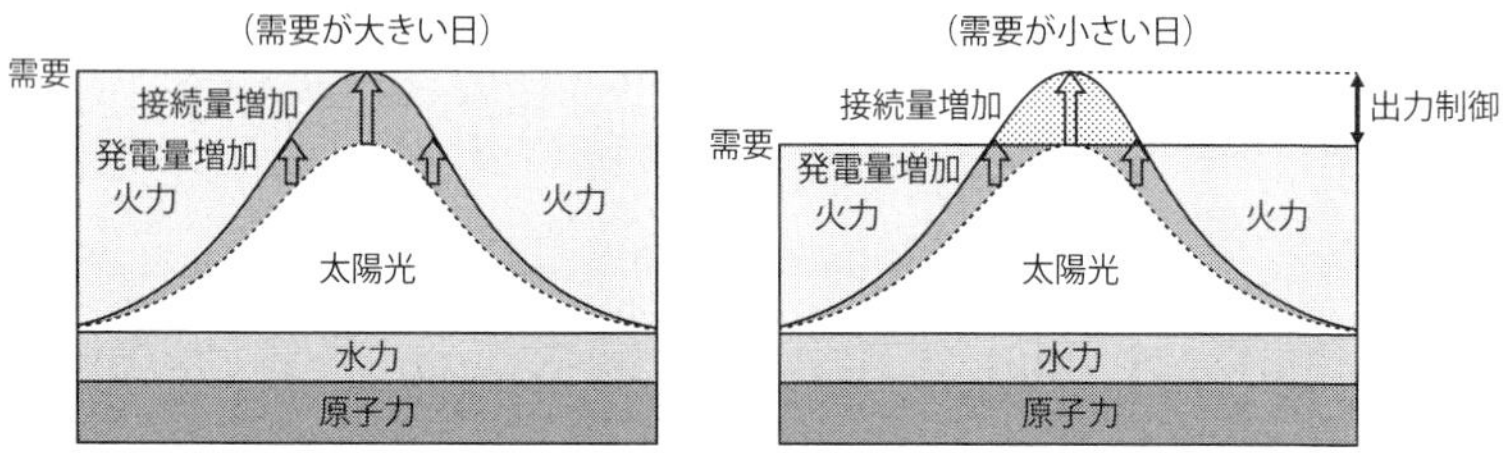

(出所) 経済産業省資源エネルギー庁『エネルギー白書 2019』258頁。

図 2-13　日本版コネクト＆マネージ

	従来の運用	見直しの方向性	実施状況（2018 年 12 月時点）
①空き容量の算定	全電源フル稼働	実感に近い想定（再エネは最大実績値）	2018 年 4 月から実施 約 590 万 kW の空容量拡大を確認※1
②緊急時用の枠	半分程度を確保	事故時に瞬時遮断する装置の設置により、枠を解放	2018 年 10 月から一部実施 約 4040 万 kW の接続可能容量を確認※1, 2
③出力制御前提の接続	通常は想定せず	混雑時の出力制御を前提とした、新規接続を許容	制度設計中

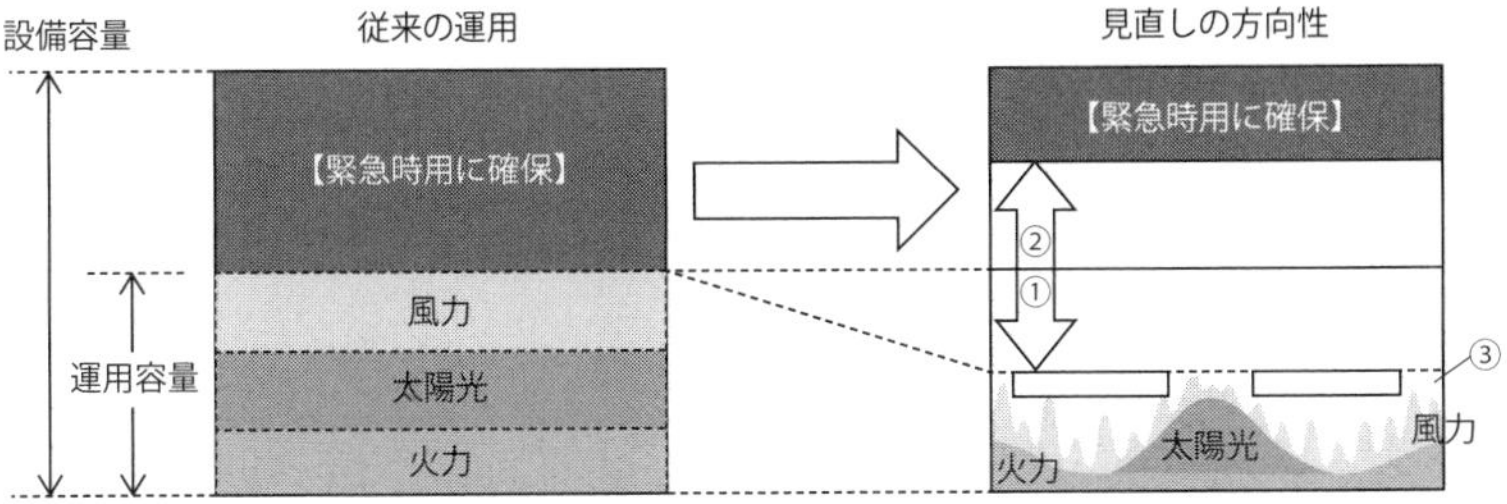

※1 最上位電圧の変電所単位で評価したものであり、全ての系統の効果を詳細に評価したものではない。
※2 速報値であり、数値が変わる場合がある。

（出所）経済産業省資源エネルギー庁『エネルギー白書 2019』255 頁。

図 2-14　資源エネルギー庁が掲げる電力ネットワークコスト改革に関する 3 つの方針

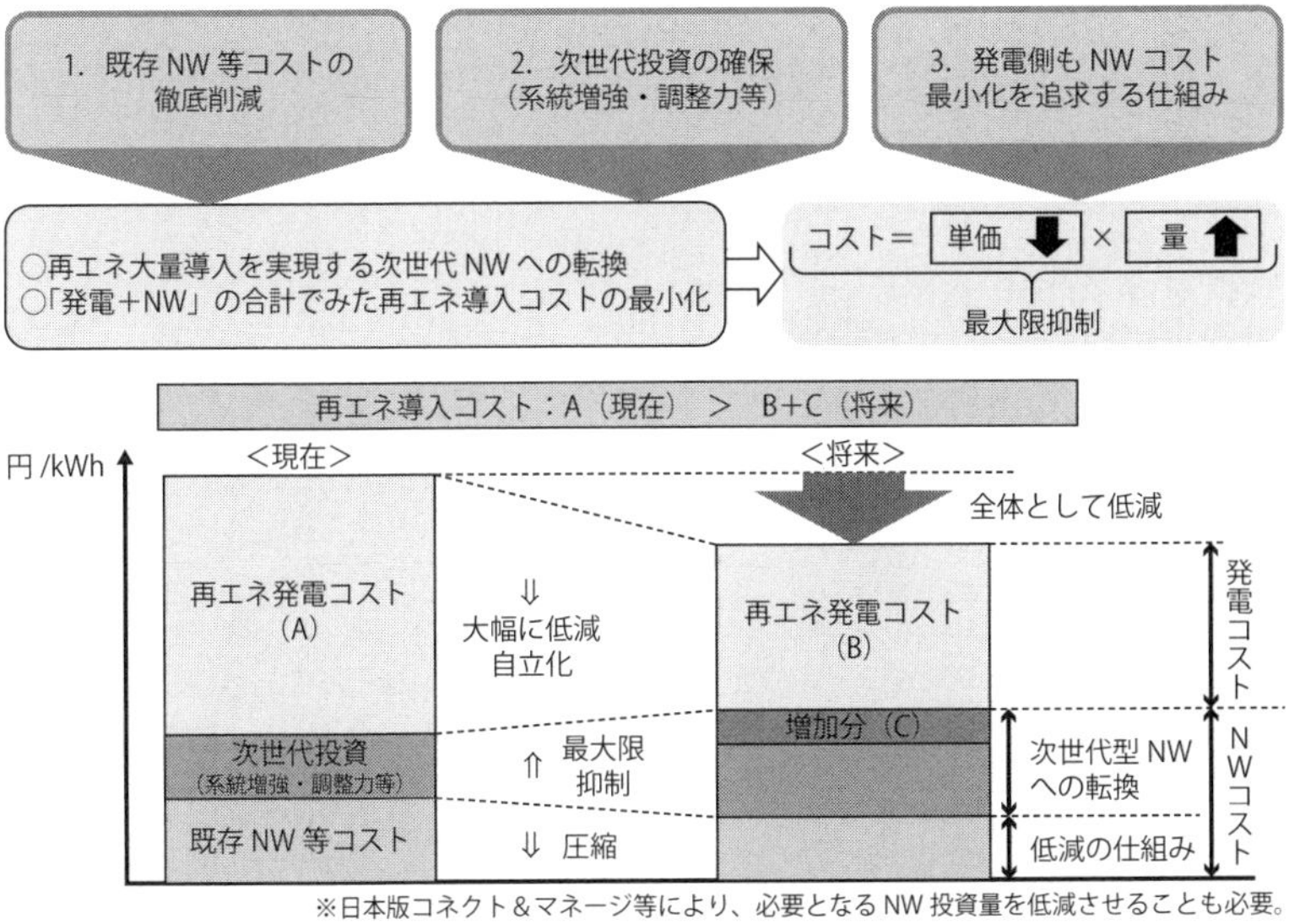

※日本版コネクト＆マネージ等により、必要となる NW 投資量を低減させることも必要。

（出所）経済産業省資源エネルギー庁『エネルギー白書 2019』256 頁。

するかを注目していきたい。

系統制約の解消に関連して資源エネルギー庁は、図2-14にあるとおり、電力ネットワーク（NW）コストに関する改革の方針として、①既存のネットワーク等のコストの徹底的な削減、②系統増強や調整力向上につながる次世代投資の確保、③発電側でのネットワークコストの最小化を追求する仕組みづくり、という3点を強調する。そして、これらを通じて、「再エネ大量導入を実現する次世代NWへの転換」を図り、「『発電＋NW』の合計でみた再エネ導入コストの最小化」をめざすとしている。

ここでもまた、肝心な点は、そのための具体的施策であり、それらの実効性である。施策の導入・遂行にあたっては、「再生可能エネルギー主力電源化」への王道を行く必要がある。

◉「再生可能エネルギー主力電源化」への王道

「再生可能エネルギー主力電源化」への王道とは何か。別の角度から、考えてみよう。

エネルギーの安定供給を確保するためには、エネルギー自給率を高め、大半を輸入に頼る化石燃料への依存度を下げることが重要になる。その意味では、2015年に政府が決定した、2030年の電源構成における原発と再生可能エネルギー電源の合計比率約45％（厳密には44％）、一次エネルギー構成における原子力と再生可能エネルギーの合計比率約25％（厳密には24％）という、数字自体はまちがっていないと言える。しかし、問題は、原子力と再生可能エネルギーの内訳にある。

国民の期待にこたえ、「原発依存度を可能な限り低減する」、「再生可能エネルギーを最大限導入する」という公約を守るためには、2030年の電源構成における原発比率と再生可能エネルギー電源比率とを1対2にする、具体的には原発比率15％、再生可能エネルギー電源比率30％とすることが必要だったであろう。にもかかわらず政府は、両者の内訳を原発20〜22％、再生可能エネルギー電源22〜24％とした。原発比率が高すぎ、再生可能エネルギー電源比率が低すぎるのである。

電源構成および一次エネルギー構成について審議した総合資源エネルギー調査会長期エネルギー需給見通し小委員会において、事務局をつとめた経産省は、再生可能エネルギー関連のＦＩＴの費用負担が電力コストを高めるから再生可能エネルギー電源比率を抑制すべきだと主張した。しかし、ＦＩＴに問題があるから再生可能エネルギーを抑えると言う論法は、「産湯を捨てようとして赤子を捨ててしまう」という西洋のことわざに通じるものがあり、本末転倒である。

ここで想起しなければならないのは、ＦＩＴはきっかけとしては重要な意味をもつが、それ自体が再生可能エネルギー拡大の王道ではないという点である。筆者（橘川）は、『ＰＶｅｙｅ』２０１４年10月号のオピニオン欄に載せた「ＦＩＴに頼る限り、本当の再エネ時代は来ない」のなかで、「あくまでＦＩＴは最初の弾みをつけるエンジン役。最終的には市場ベースで勝負できる電源にならないとサスティナブル（持続可能）な形で入っていかない。将来にわたり使い続けるんだったら、国民負担がなければ普及しない電源なんて、長持ちしない」（12頁）、と述べたことがある。

これは、ＦＩＴに反対していることを意味しない。「ＦＩＴだけではだめで、ＦＩＴの後が大切だ」と言いたいのである。再生可能エネルギー拡大のための王道は市場ベースでの普及にあることを、見落としてはならない。

——◉ 送電線問題の解決策と２０３０年再生エネ電源比率30％の実現可能性

再生可能エネルギー発電の拡大に関してＦＩＴにだけ注目していると、日本のベンチマークとなる国は、ドイツやスペインになりがちである。しかし、本当に教訓を導くべき対象国は、一部地域で市場ベースでの太陽光発電や風力発電の普及を実現している北欧諸国、米国、オーストラリア、中国などということになる。これらの国において、再生可能エネルギー発電が市場ベースで普及している地域の共通の特徴は、送電網が充実しているか、あるいは送電網を必要としない仕組みが導入されているかにある。

日本においても、ＦＩＴ後、太陽光発電を含む再生可能エネルギー発電を本格的に拡大していくうえでカギを握るのは、送電線問題を解決することである。そのためには、どのような方策があるのだろうか。

第1は、本当に送電線が不足しているのかチェックすることである。ここでは、今後廃炉となる原子力発電所で使っていた送変電設備の活用が焦点となる。本書の第3章で後述するように、２０１９年12月15日の時点で、東京電力・福島第一原子力発電所事故時に存在した54基の原子力発電所のうち21基の廃炉が決まっている。再生可能エネルギー発電の本格的な拡大に不可欠な送電線問題の解決は、原発廃炉によって「余剰」となる送変電設備の徹底的な活用からスタートすべきである。

第2は、送電線を作る仕組みを構築することである。「送電線は儲からないから誰も作りたがらない」という見方があるが、本当だろうか。分散型電源の普及や広域連系の拡充が求められるこれからの日本で、送電線がボトルネック設備になることはまちがいない。通常、ボトルネックとなっている設備を供給する者には、正当な利益（儲け）が与えられる。送電線の利益率は低いかもしれないが、安定的であることは確かである。送電線を作るプロジェクトについて金融市場が的確に評価する仕組み、送電線敷設の対象となる地域での社会的受容性を高めるための仕組み、送電線投資に対して政策的に支援する仕組み、これらを構築することがきわめて大切である。

電力会社が太陽光発電や風力発電を大規模に活用する方針を打ち出し、それを実現するために必要な電力系統を自らの手で拡充することを明確にすれば、それは、ＥＳＧ投資の最適な対象となる。資本市場や金融市場がそのような方針に好感をもつことはまちがいなく、当該電力会社の株価は上昇し、社債の発行条件も改善されることだろう。電力会社には、太陽光発電や風力発電の大量導入を可能にする送電網を新設するだけでなく、既存の送電設備の性能を向上させることで再生可能エネルギー発電関連の送電網を拡充する方法がある点も忘れないでほしい。

第3は、そもそも送電線を必要としない方式を導入することである。全国各地にスマートコミュニティを拡大し、電力の「地産地消」のウエートを高めて、送電系統にかかる負荷を減らすこと。それと同じ目的で、再生可能エネルギー発電設備やそれと連系する変電設備において、蓄電機能を高めること。再生可能エネルギー発電の現場で、余剰分の電力を使って水の電気分解を行い、水素の形で「電気」を消費地に運ぶこと。これらはいずれも、それほど大規模な送電線敷設を行わなくとも再生可能エネルギー発電の拡大を実現する方策である。このうち水素の利活用については、本書の第5章で詳しく取り上げる。

ここで言及した送電線問題の解決策のなかには、相当に時間がかかるものもある。一方で、すぐに取りかかれるものもある。その双方を着実に遂行して送電線問題を克服し、市場ベースでの普及をめざすことが、再生可能エネルギー利用を本格的に拡大するための王道である。そして、この王道を歩む的確な施策が講じられさえすれば、2030年のわが国の電源構成に占める再生可能エネルギー電源の比率を30％にまで高めることは、けっして不可能ではない。その際の再生可能エネ電源の内訳は、ここまで論じてきたように、太陽光10％、風力5％、地熱2％、水力9％、バイオマス4％となるのではあるまいか。

◉注目すべき東京電力パワーグリッドの取組み

送電線問題の解決に関して、真剣な取組みを開始した電気事業者も存在する。東京電力ホールディングス傘下の送配電会社である東京電力パワーグリッドの岡本浩副社長は、２０１９年11月１日の講演で、以下のように述べている。少々長くなるが、注目すべき事例なので、関係箇所をそのまま引用しよう。

「群馬県北部で始めたのは、**送電ネットワークの効率的な増強**です。太陽光発電をやりたいという人が多くいても、１軒１軒個別にネットワークの使用確認をしていると時間がかかり、空きがなくなったときには増強が必要になるので非効率です。合理的なネットワーク容量の増強を考えて、一括で電気を運ぶ仕組みを作り、そのエリアで発電事業をする人を募集する形を進めています。

平時の送電線空き容量の有効活用にも取り組んでいます。電気は供給過多のところから需要の多いところへ流しますが、そのときに送電容量をオーバーする問題があります。ただ、容量オーバーになるのは特定の時期だけで、例えば千葉方面で新たに再エネによる発電を５００万kW接続した場合をシミュレーションしてみると、1年のうち容量オーバーしているのはせいぜい３～４日です。現状では少しでもオーバーするところがあるとネットワークを増強しなければならないルールになっていますが、大容量のネットワーク増強にかかる期間と費用は10年で１０００億円ほど。しかし実際に混雑が起きている状況は限定的なので、特定の時期だけ発電量を調整できればあとは制約なく発電できます。逆に、ネットワークを増強してオーバーしている部分をおさめようとするのは、非常に稼働率の悪い設備を増やすことになるのです。稼働率の悪い設備を作るために10年という時間を費やすのは、お客様にとっても我々にとっても良くありません。そこで、出力をコントロールしながらネットワークに連携してもらえるよう、送電ネットワークの混雑状況の分析結果を開示しながら申し込みを受け付ける取り組みをスタートさせています。千葉県で始めて、今は茨城県、その他の地域でも逐次進めていく予定です。とにかく早くネットワークに参入していただき、年間を通じて一定以上混雑してくるのであればネットワークを増強していくという方法をとっていきたいというのが我々の考えです」[5]。

この説明によれば、東京電力パワーグリッドは、①太陽光発電の事業化のニーズを束ねたうえで「送電ネットワークの効率的な増強」を進めるとともに、②例外的な混雑時に出力を制御するという了解が得られれば、平時には可能な限り再生可能エネルギーを受け入れる「平時の送電線空き容量の有効活用」にも取り組んでいるわけである。岡本副社長の説明では、当面、同社は、①よりも②に力点をおいているように見えるが、今後、「再生可能エネルギーの主力電源化」が実現する過程では、②だけでなく①の重要性も徐々に高まるだろう。その点はともかくとして、「日本版コネクト&マネージ」に先行する形でスタートした東京電力パワーグリッドの取組みが、送電線問題解決の突破口として重要な意味をもつことは、まちがいないであろう。

◉電気を電気で調整することの問題点

本章ではここまで、「『再生可能エネルギー主力電源化』を実現するためには何をなすべきか」という問いに対して、既存の枠組みを維持したまま答えを導くことに努めてきた。以下では、「ゲームチェンジ」を起こし新たな枠組みを創出するというもう1つのアプローチに視座を移し、その観点からの答えを模索することにしよう。

既存の枠組みを維持したままのアプローチをとった場合に付きまとったのは、「再生可能エネルギーは高いのではないのか」という疑問である。前章の末尾で言及したように、第5次エネルギー基本計画は、「再生可能エネルギー主力電源化」を掲げながらも、それが直面する課題について多岐にわたる論点を提示したが、そこでいの一番にあ

5 岡本浩「再生可能エネルギーの電力システムへの統合に関わる課題と取り組み」国民生活産業・消費者団体連合会『生団連会報』(2019年11月号、Vol. 32)2019年11月29日、14頁。太字は原文どおり。

げたのは、「発電コストの低減」という論点であった。再生可能エネルギーが高コストであるというイメージがなかなか払拭できない最大の要因は、既存の枠組みが、再生可能エネ発電を蓄電池ないしバックアップ火力発電で調整するという、「電気を電気で調整する」方式に固執しているからである。

現状では、蓄電池の低コストの見通しは立っていない。再生可能エネ発電の調整用に火力発電所を新設すれば、高くつく。既存の火力発電所を再生可能エネ電源のバックアップ用に起用すると、火力発電所の稼働率低下につながり、全体的な発電コストを引き上げる。「電気を電気で調整する」方式だけにこだわったままだと、「再生可能エネルギーは高い」という認識につながりやすいわけである。

◉再生を再生で調整する

「電気を電気で調整する」方式の枠内で、再生可能エネルギー発電の拡大に資する施策がある。太陽光発電や風力発電の低稼働率や出力変動をダム式水力発電で調整する、つまり「再生を再生で調整する」方式がそれである。先に再生可能エネルギーの発電量と出力制御との関係を説明するために使った図2-12の「需要が小さい日」のケースでは、出力制御にいたる前に太陽光発電の余剰出力を揚水式のダム式水力発電で調整する方式が広く採用されている。

2019年12月15日時点で日本には都道府県営25、市営1、合計26の公営電気事業者が存在するが、そのなかにはダム式水力発電所を有する者も多い。それらが、地元の再生可能エネ発電による「ご当地電力会社」と手を組んで、「再生を再生で調整する」方式を実行すれば、理屈のうえでは再生エネ利用拡大に貢献するはずである。

しかし、現実には、その実行には2つの壁がある。それは、①ダム式水力発電と再生可能エネルギー発電とをつなど送電線を所有しているのは当該地域の旧一般電気事業者であり、その託送料が高い、②公営電気事業者の大半は当該地域の旧一般電気事業者への長期電力供給契約を結んでおり、それ以外の再生可能エネ電源と連系する自由がない、という2点である。

このため、今のところ、「再生を再生で調整する」方式は、大きな成果をあげていない。「再生を再生で調整する」方式を遂行できるのは、ダム式水力発電と再生可能エネ発電の両者を保有する旧一般電気事業者に限られるというのが、実情なのである。

◉電気を熱で調整する：パワー・トゥ・ヒート

「ゲームチェンジ」を起こし新たな枠組みを創出するというアプローチに立つならば、「電気を電気で調整する」方式（「再生を再生で調整する」方式を含む）にとどまっているわけにはいかない。そこで注目されるのが、再生可能エネ電源を熱で調整する「パワー・トゥ・ヒート」と呼ばれる新しい方式である。この新方式では、「電気を熱で調整する」ことになる。

「パワー・トゥ・ヒート」という言葉は、デンマークのエネルギー政策に関連して、よく使われる。「電気から熱へ」あるいは「電気を熱の形で蓄える」という意味だが、これによって、柔軟でかつ堅固なエネルギー供給体制の構築が可能になる。電気が足りないときないし電気の市場価格が高いときには、風力だけでなくバイオマスも電力生産に充てる。一方、電気が余っているときには、再生エネを使って温水を作り、それを貯蔵する。その場合、熱需要が高ければ（例えば冬季）、バイオマスを発電ではなく熱生産に振り向ける。大まかに言えば、このような仕組みだ。

「パワー・トゥ・ヒート」のねらいは、発電の際に熱などの形で失われるエネルギーを活用し、エネルギーコストを全体的に低下させようとする点にある。

◉デンマークで起きていること

デンマークでは、何が起きているのだろうか。

２０１８年８月および２０１９年９月にデンマークを訪れ、主として地域熱供給（ＤＨ：District Heating）の最新状況について調査する機会があった。その２回分の調査の結果をまとめると、以下のようになる。[6]

デンマークでのＤＨの歴史は19世紀末にさかのぼるが、２００℃以上（供給温度、以下同様）の蒸気による第１世代（〜１９３０年ごろ）、１００℃以上の加圧高温水による第２世代（〜１９８０年ごろ）、１００℃以下の高温水による第３世代（〜２０２０年ごろ）を経て、現在は50℃以下の低温水による第４世代に移行しつつある。時代の進展とともに供給温度が低下しているが、その理由は、①送配熱によるロスを縮小できる、②より多くの種類の排熱・余熱を利用することができる、という2点にある。

１９７０年代に石油危機が生じたとき、デンマークは中東原油への依存度が高く、エネルギー自給率はきわめて低かった。デンマーク政府は、石油から中東依存度が低い石炭への転換を急ぐ一方、新設する火力発電所はすべてＣＨＰ（Combined Heat and Power：熱電併給、日本では「コジェネレーション」と呼ばれることが多い）とする方針をとった。やがて、自国領の北海で原油・天然ガスが発見、開発され、デンマークのエネルギー自給率は改善されることになった。同時に、ＣＨＰの増設を通じて熱利用も拡大した。そして１９８０年代半ばには、原子力発電所を将来にわたって建設しないことを決めた。１９９０年代半ばごろから風力発電が急伸し、２０１０年代には太陽光の普及が進んだ。また、デンマークは、周辺諸国との送電連系の構築にも力を入れた。その結果、２０１８年の電源構成は、風力41％、太陽光3％、バイオマス・廃棄物18％、化石燃料23％、輸入15％となった。エネルギー消費全体で見れば、2017年の構成は、再生可能エネルギー33％、バイオマス以外の廃棄物2％、石油38％、天然ガス16％、石炭9％、輸入2％であった。また、このうちの再生可能エネルギーの内訳は、バイオマス55％、風力22％、太陽光6％、バイオガス4％、バイオフュエル4％、その他9％だった。

デンマーク政府は、2030年までに電源の100％、エネルギー消費全体の55％を再生可能エネルギーで充当する方針を明確にしている。そして2050年までに、エネルギー源としての化石燃料の使用を全面的に廃止することをめざす。そのために例えば、今後10年でCHPでの石炭利用を停止する。また、天然ガスのバイオガスへの転換に力を入れている。

デンマークのエネルギー政策の基本は、化石燃料から再生可能エネルギーへの移行を進めること、および電気と熱を効率的に組み合わせることにある。当然、省エネを推進したうえで再生エネに依存することになるが、再生エネの拡大は消費者の負担が増えない形で実現する。しかも、エネルギーの安定供給はきちんと確保する。そんな夢のような仕組みを可能にする大きな要因の1つは、エネルギー媒体としての熱の徹底的な活用だ。

これが、デンマークのエネルギー政策のキーワードである「パワー・トゥ・ヒート」である。電気が足りないときないし電気の市場価格が高いときには再生可能エネルギーで電力を生産し、電気が余っているときには再生可能エネで発電した電力を使って温水を作り、それを貯蔵する。「電気（再生）を熱で調整する」仕組みだ。

6　以下の記述について詳しくは、橘川武郎「熱・電複軸システムへ　デンマークで起きていること」『ガスエネルギー新聞』2018年10月29日付、同「欧州のデジタル化や地域熱供給で考察　これからのエネルギー競争を勝ち抜く方法」『エネルギーフォーラム』（2019年11月号）2019年11月1日参照。

デンマークの全世帯における熱源の構成比はDHが63%、天然ガスが15%、石油が11%、電気等その他が11%であり、コペンハーゲンではじつに98%の世帯にDHの導管がつながっている。火力発電設備のうちの66%がCHPであり、その燃料は59%がバイオマス中心の再生エネ、24%が天然ガス、15%が石炭、その他が2%であるのだ（数値はいずれも2017年実績値）。全国各地に展開するDHの事業主体は自治体で、非営利事業として営まれている。多くはタンク式やプール式などの温水貯蔵施設を擁しており、そのなかには、昼夜間調整だけでなく季節間調整（夏季に貯めた温水を冬季に使う）が可能なものもある。

デンマークでの調査を通じて、CO_2削減の話題があまり登場しなかったのは、やや意外であった。しかし、よくよく考えると、風力を中心に再生可能エネルギーがすでに主力電源化しているこの国では、もはや地球温暖化対策を中心課題とする必要はなくなっているのかもしれない、と思うにいたった。デンマークでは、いわゆる「3E」のうち、環境保全（Environment）よりも、安定供給（Energy Security）や経済効率（Economy）の方が話題にのぼる回数が多かった。再生エネへの転換も、エネルギー自給率の向上やエネルギーコストの低減という文脈で語られていた。

もう1つ、デンマークで印象的だったのは、石炭や天然ガスで時間を稼いで、上手に再生可能エネルギーの時代を切り拓いてきたという経験談を聞けたことであった。このリアルでポジティブな「移行戦略」の素晴らしさこそ、デンマークでよく聞く「エネルギーシフト」「セクターカップリング」の本質であろう。日本が、最も学ぶべき点でもある。

デンマークで起きていることを、そのまま日本に持ち込むことは、確かに難しい。しかし、「再生可能エネルギーの主力電源化」にしろ、温水による新世代熱供給にしろ、その基本的な考え方は、日本にも適用可能である。もし、デンマークのように移行期間を設け、2050年までに温水供給網を全国的に構築して「パワー・トゥ・ヒート」の適用範囲を広げれば、わが国でも「再生可能エネ主力電源化」への道が開けることであろう。

◉2つのアプローチによる「再生可能エネルギー主力電源化」

この章では、「再生可能エネルギー主力電源化」を実現するためには何をなすべきかについて、2つのアプローチから検討してきた。1つは既存の枠組みを維持したままのアプローチであり、もう1つは「ゲームチェンジ」を起こし、新たな枠組みを創出するアプローチである。

既存の枠組みを維持したままのアプローチとしては、それぞれの再生可能エネルギーについて固有のボトルネックを克服する適切な打ち手を講じることとともに、送電線問題を解決して系統制約を解消することが重要である。原子力発電所の廃炉によって「余剰」となる送変電設備の徹底的な活用、電力会社の経営姿勢の変化等がもたらす送電線投資の活性化、スマートコミュニティの拡大や水素の利活用などが進展すれば、送電線問題の解決は可能である。

新たな枠組みを創出するアプローチとしては、電気が足りないときは再生エネを電力生産に充て、電気が余っているときには再生エネを使って温水を作り貯蔵・活用する「パワー・トゥ・ヒート」を普及させることが有意義である。「電気を電気で調整する」方式に代えて「電気を熱で調整する」方式を導入することによって、再生可能エネにかかわるコストを最小化するわけである。

日本において「再生可能エネ主力電源化」を実現するためには、これら2つのアプローチを同時並行的に推進することが求められる。2050年に向けての「移行期間」はすでに始まっていることを、忘れてはならない。

第3章 原子力発電をどうするか

カギ握る使用済み核燃料の処理

◉まだら模様のエネルギー改革

「再生可能エネルギー主力電源化」への道を展望する際、再生エネそれ自体に目を向けるだけでは、決定的に不十分である。再生エネ電源とともに電源ミックスを形作る原子力発電や火力発電の動向をも、視野に入れなければならない。本章では原子力発電、次章では火力発電を、それぞれ取り上げる。

本書を執筆しているのは、2019年の12月である。まもなく、2011年3月の東京電力・福島第一原子力発電所の事故から9年の歳月が経過する。同事故が国民的課題としてつきつけたエネルギー政策の根本的見直しは、進展しているのだろうか。結論を先取りすれば、エネルギー改革の到達点は分野ごとに大きく異なってまだら模様であり、肝心の原子力改革については目立った進展がみられないなど、全体としては、残された課題の方が大きいということになる。

エネルギー改革の諸分野のなかで比較的進展がみられるのは、電力・ガスのシステム改革である。電力システム改革については、すでに2015年4月に電力広域的運営推進機関が発足し、2016年4月には小売全面自由化が実施された。さらには、2020年に法的分離方式による発送電分離も予定されている（2020年4月に予定どおり行われた）。一方、ガスシステム改革についても、2017年に小売全面自由化が実施されたのに続いて、2022年には大手3社（東京ガス・大阪ガス・東邦ガス）の導管部門の法的分離が行われる。

システム改革の遂行によって、小口を含むすべての需用家が電力会社・ガス会社を選択できるようになった。また、全面的な市場競争にさらされるようになったため、これまで基幹部門に総括原価制が残っていたため緩みがちであった電力会社やガス会社のガバナンスも改善されることになった。これらのメリットが、電力・ガスシステム改革によって生じたのである。

電力・ガスシステム改革とは対照的に、福島第一原子力発電所事故後9年経っても進展していないのが、肝心の原子力改革である。福島第一原発事故によって原子力をめぐる政策変更や事業改革が国民的課題となったにもかかわらず、今日にいたっても、それらはほとんど成果をあげていない。確かに2012年には原子力規制委員会が発足したが、それは「原子力規制」にかかわる事柄であって、「原子力規制」とは厳格に切り離されることになった「原子力行政」の分野では、改革は手つかずのままである。

◉政権が回避する原子力改革

2014年4月に閣議決定された事故後初めてのエネルギー基本計画である「第4次エネルギー基本計画」は、その冒頭で、「東京電力福島第一原子力発電所事故で被災された方々の心の痛みにしっかりと向き合い、寄り添い、福島の復興・再生を全力で成し遂げる。震災前に描いてきたエネルギー戦略は白紙から見直し、原発依存度を可能な限り低減する。ここが、エネルギー政策を再構築するための出発点であることは言を俟たない」[1]、と書いている。これを受けて安倍晋三首相は、何度も、「原発依存度を可能な限り低減する」と公約してきた。しかし、この公約は、守られることがなかったのである。

第４次エネルギー基本計画をふまえて政府は、２０１５年７月に、２０３０年の電源構成に関する見通し（電源ミックス）を決定し、そのなかで、原子力発電の比率を20～22％にすることを打ち出した。そして、この電源ミックスが、２０１８年７月に閣議決定された「第５次エネルギー基本計画」で追認され、「２０３０年原発20～22％方針」が維持されることになった点は、本書の序章で言及したとおりである（前掲図序－１参照）。この「２０３０年原発20～22％方針」を「公約違反」とみなすのは、次のような理由からである。

２０１２年の原子炉等規制法の改正によって、原子力発電所については、運転開始から40年経った時点で廃炉とすることが原則とされ、特別な条件を満たした場合だけ一度に限ってプラス20年、つまり60年経過時点まで運転を認められることになっている。日本に現存する33基の原子炉[2]のうち、２０３０年12月末になっても運転開始後40年未満のものは18基にとどまる。つまり、「40年運転停止原則」が厳格に運用された場合には、15基が新たに廃炉になるわけである。40年未満の18基に、現在建設中の中国電力・島根原子力発電所３号機と電源開発株式会社・大間原子力発電所が加わっても、20基にしかならない。これら20基が70％の稼働率で稼働したとすると、２０３０年に９８０８億kWhと見込まれる総電力需要[3]のほぼ15％の電力を、原発は生み出すことになる。

「40年運転停止原則」が効力を発揮すると２０３０年における原発依存度は15％前後となるわけであるから、それより５～７ポイント多い政府決定の20～22％という数値は、原子力発電所の運転期間延長か新増設かを前提としていることになる。安倍内閣は「現時点で原子力発電所の新増設は想定していない」と言っているから、この５～７ポイントの上積みは、ひとえに既存原発の40年を超えた運転、つまり運転期間延長によって遂行されるわけである。「40年運転停止原則」に則った場合、2030年までに廃炉が予定される15基のうちかなりの原発（少なくとも10基以上）を運転延長しなければ、政府が言う5～7ポイントの上積みを達成することはできない。つまり、現行の原子炉等規制法の「40年運転停止原則」ではなく、同法が例外的に可能性を認めた「60年運転」が常態化することになるわけである。[4] このような原子炉等規制法の強引な解釈は、安倍首相の「原発依存度を可能な限り低減する」という公約とは合致しない。政府決定の「原子力20～22％」について、公約違反だと言わざるをえない理由は、ここにある。

――◉リプレースしつつ依存度を下げるべき

依存度の多寡を問わず、将来においても原発を何らかの形で使うのであれば、危険性を最小化するために最大限の努力を払うことが、不可欠の前提となる。原発の危険性を最小化する施策とは何か。それが、最新鋭の設備を使用することである点については、多言を要しない。

ところが、日本の原発設備は、最新鋭であるとはとてもみなせない。それでも全体の半分強（17基）を占める沸騰水型原子炉については最新鋭のＡＢＷＲ（改良型沸騰水型軽水炉）が4基存在するが[5]、残りの半分弱（16基）の加圧

1　閣議決定『エネルギー基本計画』２０１４年4月、4頁。
2　ここでは、２０１９年12月時点で廃炉が決定している炉は、「現存する」原子炉から除外している。
3　経済産業省『長期エネルギー需給見通し』２０１５年7月、7頁。
4　別の表現をとれば、政府決定の「２０３０年原発20～22％方針」は、原子力規制委員会の頭越しに60年運転を常態化したものと言える。
5　東京電力・柏崎刈羽原子力発電所５・６号機、中部電力・浜岡5号機、および北陸電力・志賀２号機。

水型原子炉については最新鋭のＡＰＷ（改良型加圧水型軽水炉）やＡＰ１０００が皆無である。中国では、２０１８年に、最新鋭の加圧水型原子炉であるＡＰ１０００やＥＰＲ（欧州加圧水型炉）が稼働したにもかかわらず、である。

何らかの形で今後も原発を使うのであれば、同一原発敷地内で古い原子炉を廃棄し最新鋭の原子炉に置き換えるリプレースを行うことが、責任ある立場というものである。しかし、政府は、リプレースに関する真正面からの議論を回避し、小手先の運転期間延長という方策のみを追求している。このようなやり方に対しては、「無責任な原発回帰路線」だと言わざるをえない。

もちろん、原発のリプレースのみを強調するのでは、「原発依存度を可能な限り低減する」という国民世論の期待や安倍内閣の公約と平仄が合わなくなる。リプレースを行うにしても、２０３０年度の原発依存度は15％程度にまで押し下げるべきである。可能な限り低い依存度の枠内で原発リプレースを進めることが、将来において原発を使用する際の唯一の責任ある道だと言える。

◉まだら模様の背景

福島第一原発事故を機に必要性が明らかになったエネルギー改革に関して、政府が電力・ガスシステム改革については積極的でありながら、原子力改革に関しては消極的な姿勢をとるのは、なぜだろうか。その答えは、システム改革は票になるが、原子力改革は票にならない（場合によっては、票を減らす）ことに求めるのが、自然であろう。

政治家にとっては次の選挙が、官僚にとっては次のポストが、最大の関心事である。したがって、それに有利になるように、視野が目先の２～３年に限られるきらいがある。福島第一原発事故後のエネルギー改革がまだら模様になるのは、このような背景があるからであり、それを克服することは容易ではない。しかし、それでは、20年先、

30年先を見据えなければ作れない的確なエネルギー政策を生み出すことはできない。

◉原子力は「選択肢」になりうるか

それまでと同様に第5次エネルギー基本計画においても、原子力発電のリプレースに関する記述は回避され、問題は先送りされることになった。第5次エネルギー基本計画の策定過程では、2030年時点での状況について審議する総合資源エネルギー調査会基本政策分科会とは別に、2050年時点での状況について審議するエネルギー情勢懇談会が設置され、国レベルでの議論は並行して行われた。情勢懇談会の提言は、再生可能エネルギーに関して2050年時点で「主力電源化」することをめざすと明記するとともに、原子力に関しても「実用段階にある脱炭素化の選択肢」として高い位置づけを与えた。

2050年に再生可能エネルギーを主力電源化すると言いながら、2030年の電源構成における再生可能エネルギーの比率を上方修正せず、22~24%に据え置いたままにしたことは、平仄が合わず、大いに問題である。ただし、この問題についてはすでに論じたので、ここでは、もう1つの大きな問題を掘り下げることにする。それは、リプレースなしに原子力発電が脱炭素化の選択肢になりうるかという問題である。

既述のように、2012年の原子炉等規制法の改正によって、日本の原子力発電所については、運転開始から40年経った時点で廃炉にすることが原則とされ、特別な条件を満たした場合だけ一度に限ってプラス20年、つまり60年経過時点まで運転が認められることになっている。現在、わが国の原子力発電所には、33基の原子炉が存在する（建設中の中国電力・島根3号機と電源開発・大間は、運転開始時期が未定のため、議論から除外する）。表3-1が示すように、たとえ、これらのすべてについて、運転期間の60年間への延長が認められたにしても、2050年末に稼働しているのは18基にとどまる。その後、短期間のうちに、稼働中の原子炉基数は急減する。２０６０年末には５基（北海道電力・泊３号機、東北電力・東通／女川３号機、中部電力・浜岡５号機、北陸電力・志賀２号機）、２０６５年末には２基（泊３号機、志賀２号機）となり、２０６９年12月に泊３号機が停止すると、皆無となる。これではとても、原子力を長期的に有効な「脱炭素化の選択肢」とみなすことはできない。

原子力発電を何らかの形で使い続けるのであれば、危険性を最小化するため、最新鋭炉を新増設するとともに古い炉を思い切って廃棄するリプレースを行うしかない。リプレースなしには原子力発電は、脱炭素化の選択肢になりえないのである。

リプレースは、「原子力依存度を可能な限り低減させる」という政府方針とも矛盾しない。最新鋭炉を建設する一方で、古い炉についてはそれを上回るペースで廃棄すれば良いからである。筆者は、リプレースを行うことによって、30年の電源構成に占める原子力の比率は15％程度に抑えることができると考えている。

◉戦略も司令塔も不在

原子力を「脱炭素化の選択肢」にすると言いながら、エネルギー情勢懇談会提言も第５次エネルギー基本計画も、原子力のリプレースに関して言及を避ける方針をとった。リプレースには20～30年の歳月を要するから、今、問題提起

表 3-1　既存商用原子力発電炉の残存状況

時　点	運転期間が40年間の場合	すべての原子炉の運転期間が60年間に延長された場合
2030年末	18基	33基
2050年末	0基	18基
2060年末	0基	5基（女川3：2062.1、浜岡5：2065.1、東通：2065.12、志賀2、泊3）
2065年末	0基	2基（志賀2：2066.3、泊3：2969.12）
2070年末	0基	0基

（出所）電気事業連合会統計委員会編『電気事業便覧』（平成22年版）日本電気協会、2010年にもとづき筆者作成。

（注）（　）内は、すべての原子炉の運転期間が60年間に延長された場合、2060年代に残存する炉の名称。「東通」は、東北電力の東通原発。：の右側の数字は、廃炉となる年・月。

しなければ、2030年はおろか2050年にも間に合わない。そうであるにもかかわらず、リプレースへの言及を回避した背景には、原子力についてはできる限り事を荒立てず、問題の「先送り」を決め込むという、政治家や官僚の思惑がある。

日本の原子力開発は、「国策民営方式」で進められてきた。福島第一原発事故のあと、事故を起こした当事者である東京電力が、福島の被災住民に深く謝罪し、ゼロベースで出直すのは、当然のことである。ただし、それだけですまないはずである。国策として原発を推進してきた以上、関係する政治家や官僚も、同様にゼロベースで出直すべきである。しかし、彼らは、それを避けたかった。そこで思いついたのが、「叩かれる側から叩く側に回る」という作戦である。

この作戦は、東電を「悪役」として存続させ、政治家や官僚は、その悪者をこらしめる「正義の味方」となるという構図で成り立っている。うがった見方かもしれないが、その悪者の役回りは、やがて、東電から電力業界全体、さらには都市ガス業界全体にまで広げられたようである。一方で、政治家や官僚は、火の粉を被るおそれがある原子力問題については、深入りせず先送りする姿勢に徹した。このように考えれば、福島第一原発事故後政府が、電力システム改革や都市ガスシステム改革には熱心に取組みながら、原子力政策については明確な方針を打ち出してこなかった理由が理解できる。熱心に「叩く側」に回ることによって、「叩かれる側」になることを巧妙に回避しようとしたのである（誤解が生じないよう付言すれば、筆者は、電力や都市ガスの小売全面自由化それ自体については、きわめて有意義な改革だと評価している）。

結果として、福島第一原発事故後9年経過したにもかかわらず、原子力政策は漂流したままである。あえて繰り返すが、次の選挙・次のポストを最重要視する政治家・官僚の視界は、3年先にしか及ばない。しかし、原子力政策を含むエネルギー政策を的確に打ち出すためには、少なくとも30年先を見通す眼力が求められる。このギャップは埋めがたいものがあり、そのため、日本の原子力政策をめぐっては、戦略も司令塔も存在しないという不幸な状況が現出するにいたったのである。

◉原子力の未来を閉ざすもの

戦略も司令塔も不在であることのつけは、リプレース問題だけでなく、使用済み核燃料の処理問題にも及んでいる。使用済み核燃料の危険な期間が万年単位のままでは、いくら政府が前面に出ても、最終処分地が決まるはずはない。最終処分地の決定には危険な期間を数百年程度に短縮する毒性軽減炉の開発が必要不可欠であり、2014年策定の第4次エネルギー基本計画は、「もんじゅ」をその研究開発拠点にすると位置づけていた。[6] しかし、その「もんじゅ」は、2016年末に廃炉が決まった。2018年の第5次エネルギー基本計画の策定にあたっては、「もんじゅ」に代わる毒性軽減炉開発のきっかけをどう明記するかが1つの焦点となったが、結局、抽象的な記述に終始し、[7] ここでも、問題は先送りされた。

日本では、2012年末の総選挙以来、7年以上にわたって与党の政権基盤が強い時期が続いてきた。しかし、結局、そのあいだにも原子力のリプレースが打ち出されることはなく、問題の先送りが繰り返されてきた。これから、政治状況はより厳しさを増すだろう。資源小国の日本において、少なくとも現時点では捨てるべきでない重要な選択肢である原子力の未来が、「先送りの構造化」によって閉ざされようとしている。

◉日本における原子力発電の歴史

東京電力・福島第一原子力発電所事故後の現実が白日のもとにさらした「日本の原子力政策をめぐっては、戦略も司令塔も存在しないという不幸な状況」は、どうして生じたのであろうか。その根源的な原因は、日本の原子力発電が「国策民営方式」で営まれてきたために、政府と民間のあいだで責任の所在が曖昧となり、両者とも十分な当事者意識をもたなくなった点に求めるべきであろう。この点を確認するには、歴史を振り返ることが有用である。

日本において原子力発電がスタートしたのは、1950年代半ばのことである。1955年には、原子力基本法などの原子力三法が成立した。当時は、電力業の経営形態をめぐって政府と電力会社とのあいだに、国家管理の復活か民営体制の維持・継続かという対立がみられたが[8]、こと原子力発電に関しては、初めから官民協調が成立していた。

それから今日までの原子力発電の歩みは、

(1) 国民的期待を受けてのスタート（1955〜73年）
(2) 原子力大規模開発と国論の分裂（1974〜85年）
(3) 国策民営方式による調整（1986〜2002年）

6 閣議決定『エネルギー基本計画』2014年4月、46頁。
7 閣議決定『エネルギー基本計画』2018年7月、53頁。
8 この点については、橘川武郎『日本電力業発展のダイナミズム』名古屋大学出版会、2004年、327-328頁参照。

(4) 原子力ルネサンスと政策的支援（2003～10年）
(5) 福島第一原発事故以後（2011年以降）

という5つの時期に分けてとらえることができる。

(1)の時期には、原子力発電が「夢のエネルギー源」として国民的期待を集めていたという、特有の事情が存在した。当時は国内炭の減退によるエネルギー自給率の低下が不安視されていたが、原料のウランを輸入するものの、それを長期にわたって使用することができる原子力は「準国産エネルギー」と考えられ、期待が高まったのである。国民的人気を博した手塚治虫の漫画のヒーローは「鉄腕アトム」であったし、プロ野球には「産経アトムズ」という名前の球団も存在した。

石油危機直後の(2)の時期には、「脱石油の切り札」として原子力発電の必要性が高まり、数多くの原発が建設された。しかし、この時期には、1974年の原子力船「むつ」の事故や1979年の米国スリーマイルアイランド原発の事故などにより、原子力利用の危険性に対する認識も高まり、原発をめぐる国論は2分されるにいたった。

1986年の旧ソ連・チェルノブイリ原発事故は、原子力発電所の危険性を世界に示した。日本国内でも高まった「脱原発」の声に対抗して原子力開発を進めるには、「国策」であることを前面に押し出さざるをえなくなった。(3)の時期には、国策民営方式による調整が本格化したのである。

チェルノブイリ原発事故の影響で、1986～94年の時期には、日本のみならず諸外国においても原子力開発がペースダウンした。この時期にも、日本の電源開発全体のなかで原子力開発は相対的に重視されていたから、原子力発電所の新増設は継続した。しかし、表3-2が示すように、原子力開発のペースは、明らかにスローダウンした。とくに、1974～85年度に9ヵ所にのぼった原子力発電所の新規立地は、(3)の時期の前半にあたる

1986〜94年度には2ヵ所にとどまった。その2ヵ所も、それまで9電力会社のなかで原子力開発の点で取り残されていた北海道電力と北陸電力が、それぞれ泊原子力発電所と志賀原子力発電所を運転開始したものであった。早くも、1986〜94年度には、わが国で原子力発電所を新規立地することは、困難になったのである。

日本だけでなく、スリーマイルアイランド原発事故を経験した米国でも、1980年代以降、原子力発電所の新設は行われなくなった。ドイツでも、原子力発電所の整備拡充が1982年を屈折点にして、その後は後退局面を迎えるようになった。ドイツの原子力産業の歴史を通観した大著を刊行したヨアヒム・ラートカウとロータル・ハーンは、同国では、チェルノブイリ原発事故や、福島第一原発の事故を契機にして「脱原発」が進んだのではなく、より大きな歴史の流れに沿って、必然性をもって原発の「明らかな没落」が進行したと主張している。[9]

1986〜94年の時期の日本では、原子力開発がペースダウンするなかで、核燃料サイクルの構築をめざす動きも、当初の予定どおりには進展しなかった。それでも、この時期には、放射性廃棄物を廃棄する事業を法的に根拠づけた1986年5月の原子炉等規制法の一部改正、米国産原子燃料の再処理やプルトニウム利用等についての同意の仕組みを導入した1987年11月の新日米原子力協力協定の締結、青森県六ヶ所村

9 ヨアヒム・ラートカウ/ロータル・ハーン著、山藤光晶・長谷川純・小澤彩羽訳『原子力と人間の歴史―ドイツ原子力産業の興亡と自然エネルギー』築地書館、2015年、349-350頁参照。

表 3-2　日本における原子力発電所（商業用）の新増設状況

（運転開始基数：基）

時　期	1961〜73年度	1974〜85年度	1986〜94年度	1995〜2002年度	2003〜10年度	2011年度〜
新　設	5	9	2	0	1	0
増　設	1	17	14	5	3	0
合　計	6	26	16	5	4	0

（出所）電気事業連合会統計委員会編『電気事業便覧』（各年版）日本電気協会、各年にもとづき筆者作成。
（注）新設は新規立地における1号機の運転開始、増設は既存立地における2号機以降の運転開始を、それぞれ意味する。

での日本原燃産業㈱による1992年3月のウラン濃縮工場の操業開始、日本原燃サービスと日本原燃産業との合併による1992年7月の日本原燃の発足、六ヶ所村での日本原燃による1992年12月の低レベル放射性廃棄物埋設センターの操業開始、福井県敦賀市での動燃による1994年4月の高速増殖原型炉「もんじゅ」の臨界など、核燃料サイクルの構築や高速増殖炉の実用化をめざす動きは、ある程度の進展を示していた。

(3)の時期も後半にはいり1995~2002年になると、日本における原子力開発のペースダウンは、誰の目にも明らかになった。この期間には、原発の新設は行われなかった。早くも「国策民営方式による調整」の限界が露呈したのである。

2003~10年の(4)の時期には、石油・石炭・天然ガスなどの化石燃料の価格高騰、地球温暖化問題に対する危機感の高まりなどを背景にして、原子力発電の再評価が世界的に進んだ。技術的・経済的理由で再生可能エネルギーの普及が遅れるなかで、原子力は、二酸化炭素を排出しない「最強のゼロエミッション電源」とみなされた。「原子力ルネサンス」が国際的潮流となったわけであり、日本国内でも、久々の新設原発として、東北電力・東通原発が2005年に運転を開始した。とは言え、全体として見れば、(4)の時期にも、日本における原発の新増設は、増勢に転じたわけではなかった。「国策民営方式による調整」の限界は、継続したのである。

(5)の時期を到来させた福島第一原発事故は、「原子力ルネサンス」の国際的潮流を一気に消滅させた。それ以降現在（2019年12月）まで、日本では、原発の新増設は進んでいない。

◉「国策民営方式」の問題点

このように、原子力発電の歩みには、光と影がいく度も交錯した。当初の「鉄腕アトム」に示されたような国民的支持は後退し、国論を2分する論争へと暗転した。

2011年に福島第一原発事故が起こる以前から、日本の原子力発電事業は、民間会社によって営まれながらも、「国策」による支援（国家の介入）を必要不可欠とするという矛盾を抱えていた。

原子力発電に国家介入が必要となる事情としては、まず、立地確保の問題をあげることができる。原子力発電所の立地を円滑に進めるためには、1974年に制定された電源三法の枠組みが無くてはならない。電源三法の枠組みとは、電気料金に含まれた電源開発促進税を政府が民間電力会社から徴収し、それを財源にした交付金を原発立地に協力する地方自治体に支給する仕組みのことである。これは、国家が市場に介入して原発立地を確保する手法であり、民間会社は、自分たちの力だけでは、そもそも原子力発電所を立地できないことを意味する。

原子力発電への国家介入を不可避にするもう1つの事情としては、使用済み核燃料の処理問題、いわゆる「バックエンド問題」がある。使用済み核燃料をリサイクル（再処理）するにせよワンススルー（直接処分）するにせよ、国家の介入は避けて通ることができない。とくに、現在の日本政府のようにリサイクル路線を採用する場合には、核不拡散政策との整合性を図ることが必要になるが、それが、市場メカニズムとは別次元の政治的・軍事的事柄であることは、言うまでもない。

これらの立地問題やバックエンド問題に加えて、福島第一原発事故は、最も重要な非常事態発生時の危機管理についても、民間電力会社だけでは対応できないことを明らかにした。自衛隊、消防、警察、そして米軍までもが福島第一原発1～4号機の冷却のために出動せざるをえなかったことは、原子力発電事業を民営形態に任せることの「無理」を端的な形で示している。

現行の「国策民営方式」の大きな問題点は、原子力発電をめぐって国と民間電力会社のあいだに「もたれ合い」

が生じ、両者間で責任の所在が不明確になっていることである。「もたれ合い」の解消には、2つの方法しかない。

1つの考え方は、原子力専業の日本原子力発電㈱を除く原発所有の10電力会社（北海道電力・東北電力・東京電力・中部電力・北陸電力・関西電力・中国電力・四国電力・九州電力・電源開発）は、むしろ、国策による支援が必要不可欠な原子力発電事業を経営から切り離した方が、良い意味で私企業性を取り戻し、民間活力を発揮することができるのではないか、というものである。9電力会社中最大の東京電力でさえ、いったん重大な原発事故を起こせば経営破綻の瀬戸際に立たされる現実をみれば、民間電力会社の株主（場合によっては経営者）のなかから、リスクマネジメントの観点に立って、原子力発電事業を分離しようという声があがっても、けっして不思議ではない。

電力会社が、もしこの方法を拒絶するのであれば、政府に依存することなく、民間事業者として責任をもって原子力事業に取り組むという道しか残らない。この場合にも、使用済み核燃料の処理や事故への対応などの面で政府の役割はある程度残るが、あくまで、主たる責任は民間事業者である電力会社が負うことになる。福島第一原発事故後の9年は、原子力政策の面で政府があてにならないことを明らかにした。原子力事業の継続を望むのであれば、電力会社は、責任を持ち切る覚悟を固めなければならないだろう。

◉山積された諸問題

ここで、今日までに山積されてきた原子力をめぐる諸問題を整理してみよう。それらは、大きく次の7つに分類することができる。

(1) 東京電力・福島第一原子力発電所事故の事後処理をいかに進め、被災地復興をどのように実現するか。
(2) 事故を起こした当事者である東京電力の経営を、どのように改革するか。

(3)2018年に閣議決定された第5次エネルギー基本計画が堅持した、2030年の電源構成(電源ミックス)における「原発比率20~22%方針」をどうするか。
(4)「もんじゅ」廃炉後のバックエンド対策(使用済み核燃料の処理)を、いかに進めるか。
(5)「第5次エネルギー基本計画」が打ち出した2050年までに再生可能エネルギーを主力電源化する新方針のもとで、原子力の未来をどのように描くか。
(6)使用済み核燃料の処理問題が解決せず原子力発電の廃止を選択せざるをえなくなったときには、それをどう進めるか。
(7)そもそも、山積する原子力問題の解決に取り組む主体は、いったい誰なのか。
これらは、解決が困難な重たい問題ばかりである。

以上の7つの問題は、いかなる現実に直面しているのだろうか。今後の進展を大まかに展望してみよう。

――◉福島第一原発事故の事後処理と被災地復興

(1)の福島第一原発事故の事後処理と被災地復興について。
福島事故の事後費用は、廃炉・賠償・除染費用の合計で、少なくとも21兆5000億円に達するとされている。[10]事故を起こした東京電力が支払える金額をはるかに超えており、電気料金への組み入れ等を通じて、やがて国民が負担することになるのは避けられない。そうしなければ、福島復興はありえないからである。

10 日本経済新聞社「福島廃炉・賠償費21・5兆円に倍増 経産省が公表」『日本経済新聞』2016年12月9日発信(http://www.nikkei.com/article/DGXLASFS09H0H_Z01C16A2000000/)。

しかし、ものごとには順番がある。まずは東電自身が徹底的なリストラを遂行することが重要で、そのあとで初めて、国民負担は行われるべきである。

東電の徹底的なリストラとは、柏崎刈羽原子力発電所の完全売却にほかならない。その売却で得た資金は、全額、福島第一原発の廃炉費用に充当すべきである。「福島への責任」のとり方として、第一義的に東電が実行すべきなのは、柏崎刈羽の完全売却なのだ。

巨額の国民負担が生じるにもかかわらず、事故を起こした当事者である東電が、たとえ他社と連携する形をとったとしても、柏崎刈羽原発を再稼働し、原子力発電事業を継続することになれば、日本国民の怒りは頂点に達する。国民がそのような状況を許すことは、けっしてないだろう。つまり、柏崎刈羽原発の再稼働が起こりえるのは、東電が同原発を完全売却し、当事者でなくなった場合だけだということになる。東電の手による柏崎刈羽再稼働が実現する可能性は、皆無と言ってよいのだ。

◉東電改革の方向性

⑵の東京電力の経営改革について。

柏崎刈羽原発の売却は、東電改革の「はじめの一歩」にもなる。東電は、誰に対して柏崎刈羽原発を売却するのだろうか。買い手候補の一番手として名前があがるのは、柏崎市や刈羽村を含む新潟県を供給区域とする東北電力である。

ただし、東日本大震災で大きな被害を受けた東北電力は、柏崎刈羽原発を買収するだけの財務力を有していない。国の支援が求められることになるが、直接的な原発国営に関しては、財務省筋からの強い抵抗が予想される。そこで、出番があると考えられるのが、日本原子力発電（原電）である。原電の最大株主は東京電力であるが、東電は現在、国の管理下にあり、原電は、事実上、準国策企業だと言える。

準国策企業である原電が購入先として登場することによって、柏崎刈羽原発は、準国営の状態におかれることになる。準国営の柏崎刈羽原発で生み出された電力は、卸電力取引所に、中立的な価格で「玉出し」される。それは、電力卸取引の拡充をもたらし、電力小売自由化の成果を深化させることに貢献するだろう。

柏崎刈羽原発の売却で、２０１７年に策定された東電の事業再建計画である「新々・総合特別事業計画」（新々総特）は、完全に崩壊する。新々総特は、東電の手による柏崎刈羽原発の再稼働を、事業再建の柱としていたからである。

新々総特の崩壊で東電は、火力発電事業からも手を引くことになり、同社と中部電力の合弁で２０１５年に設立された火力事業会社である㈱ＪＥＲＡは、完全に中部電力のものになる。

中部電力主導のＪＥＲＡにとって、東電が東京湾岸で運転していたＬＮＧ（液化天然ガス）火力発電所をすべてそのまま継承すると、火力発電設備が過剰になる。したがって、東京湾岸のＬＮＧ火力発電所の一部を売却するか、それらへの他事業者の資本参加を受け入れることになる。他事業者は、それらを買収するか、それらに資本参加するかすれば、東京湾で石炭火力を新設する必要がなくなる。他社のねらいは首都圏での大型電源の確保にあるが、わざわざリスクを負って石炭火力を新設しないでも、ＪＥＲＡの手を離れるＬＮＧ火力を買収するか、それらに資本参加するかのいずれかができれば、そのねらいは達成できるからである。東京湾での大型石炭火力の新設計画が白紙にもどれば、地球温暖化対策に資することは、言うまでもない。東電が柏崎刈羽原発を売却することになれば、電力自由化や温暖化対策に肯定的な波及効果が生じるのである。

柏崎刈羽原発を売却した場合、東電は存続できるのかという疑問が生じようが、筆者は存続が可能だと考える。発電設備売却後の東電は、東京の地下を東西および南北に走る27万5000Vの高圧送電線とそれに連なる配電網を経営の基盤にして、ネットワーク会社および小売会社として生き残る。世界有数の需要密集地域で営業するという特徴を活かせば東電の存続は可能であり、獲得する収益の一部を長期にわたって賠償費用に充てることもできるだろう。

柏崎刈羽原発を売却したのちも、東電は、傘下のネットワーク会社・東電パワーグリッドや小売会社・東電エナジーパートナーが、安定的な収益をあげ続けるため、従業員にボーナスを支給しつつ、半永久的に福島への賠償を継続することができる。柏崎刈羽原発や東電の火力発電所で働く人員は別の会社にそれぞれ引き継がれるので、雇用の確保や電力の安定供給は担保される。一方で、東電自身の従業員数は大幅に減少し、リストラ効果が拡大する。

東電が発電設備の売却によって得た収入は全額廃炉費用に充当されるため、売却対象となった柏崎刈羽原発やその他の発電設備を買収する（あるいは、それへ資本参加する）他の事業者は、「福島リスク」から切り離される。福島リスクとは、他事業者が東電のかかわる施設の運用に関与することによって、福島事故の事後処理費用の分担を求められるリスクのことである。東電による柏崎刈羽原発完全売却は、他事業者を福島リスクから解放し、福島原発事故の事後処理にかれらが参画することにも道を開くのである。

◉達成不可能な2030年「原発比率20～22％」

(3)の電源ミックスにおける「原発比率20～22％方針」をどうするかについて。

第5次エネルギー基本計画の策定にかかわった総合資源エネルギー調査会基本政策分科会の席上、経済産業省の担当官は、いく度も、「2030年に30基の原子力発電所が稼働率80％で動いていれば、20～22％の原子力発電比率は達成できる」旨、発言した。このような状況は、本当に現出するだろうか。答えは、「否」である。

日本の原子力発電所には、これまで57基の原子炉が存在した。そのうち3基（日本原子力発電・東海、中部電力・浜岡1、2号機）は、福島第一原発事故以前に廃炉となっていた。それに加えて、福島事故後に21基の廃炉が決まった。一方、2019年12月15日時点で、建設中の原子炉が3基ある（電源開発・大間、東京電力・東通、中国電力・島根3号機）。

2019年12月15日時点における日本の原子力発電所の状況は、以下のとおりである。

(A) 稼働中のもの：9基（関西電力・大飯3、4号機、同・高浜3、4号機、四国電力・伊方3号機、九州電力・玄海3、4号機、同・川内1、2号機）。

(B) 原子力規制委員会の許可獲得済みだが未稼働のもの：7基（東北電力・女川2号機、東京電力・柏崎刈羽6、7号機、日本原子力発電・東海第二、関西電力・美浜3号機、同・高浜1、2号機）。

(C) 原子力規制委員会に申請中だが許可を未獲得のもの：11基（北海道電力・泊1～3号機、電源開発・大間、東北電力・東通、中部電力・浜岡3、4号機、北陸電力・志賀2号機、日本原子力発電・敦賀2号機、中国電力・島根2、3号機）。

(D) 原子力規制委員会に許可を未申請のもの：9基（東北電力・女川3号機、東京電力・東通、同・柏崎刈羽1～5号機、中部電力・浜岡5号機、北陸電力・志賀1号機）。

(E) 福島事故後に廃炉が決定したもの：21基（東北電力・女川1号機、東京電力・福島第一1～6号機、同・福島第二1～4号機、日本原子力発電・敦賀1号機、関西電力・美浜1、2号機、同・大飯1、2号機、中国電力・島根1号機、四国電力・伊方1、2号機、九州電力・玄海1、2号機）。

これらのうち、(D)については、福島第一原発事故から9年経っても未申請である点を考慮に入れれば、その多くは廃炉に追い込まれるだろう。(C)についても、活断層問題の存在などによって、原子力規制委員会の許可がおりないものが出るだろう。(B)についてさえ、再稼働に関する地元自治体の了解をとることが困難なものや、2013年に制定された原子力発電に関する新しい規制基準によって導入されたバックフィット制度（許可済みの原発に対しても最新の知見にもとづき許可自体をやり直す制度）によって許可の見直しを求められるものが生じるかもしれない。これらの点から、2030年までには、(E)の21基を含めて、30～35基程度が廃炉に追い込まれるものと見込まれる。つまり、2030年時点で30基が稼働していることはありえないのである。

図3-1は、日本の原子力発電設備利用率の推移を見たものである。この図から、福島第一原発事故以前の「原子力ルネサンス」の時期（2003～10年）においても、原発の稼働率は、80%をかなり下回っていたことがわかる。

以上の検討から、2030年の日本において、30基の原

図 3-1　日本の原子力発電設備利用率の推移（2000 ～ 18 年度）

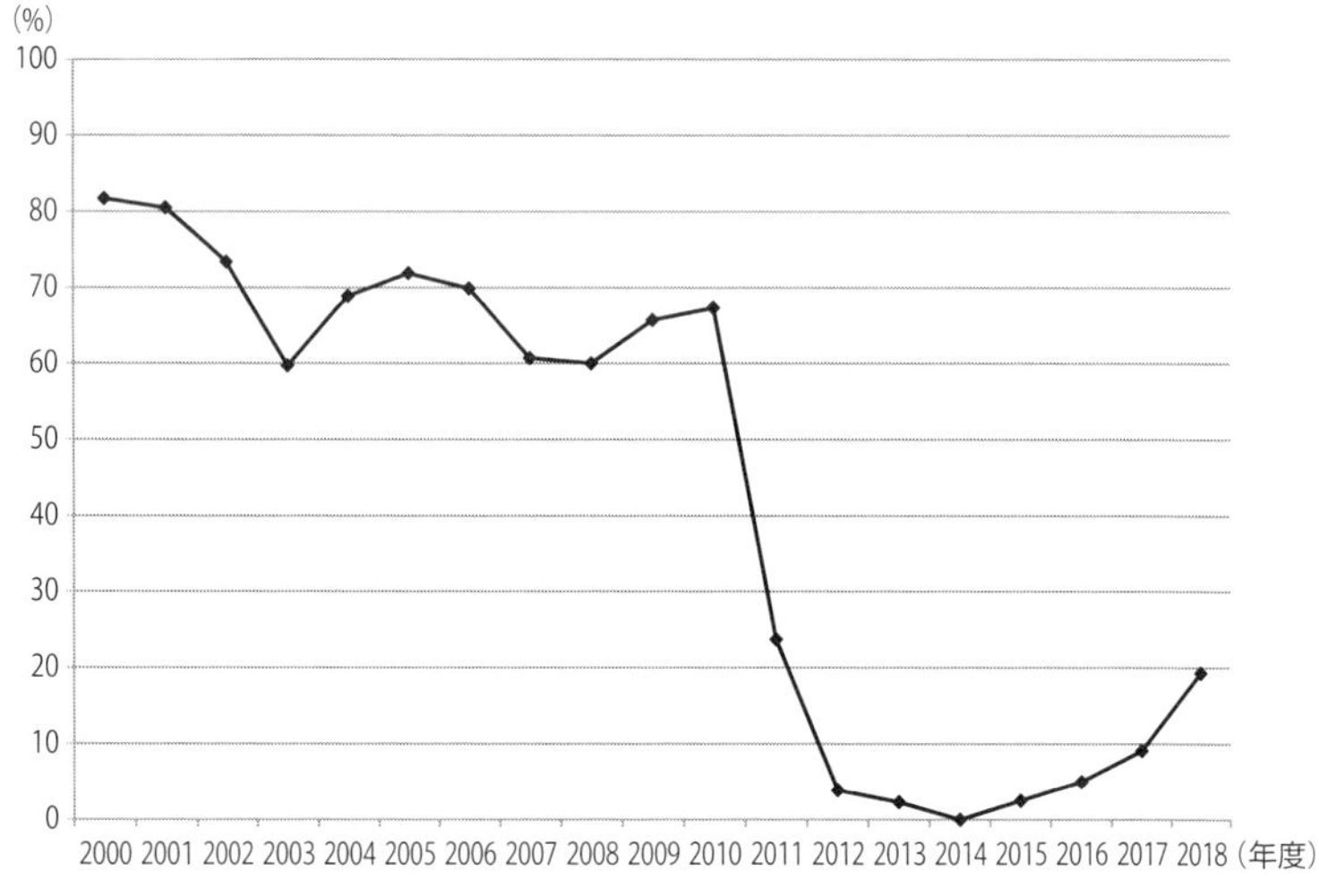

（原資料）2016 年度までは電気事業連合会資料、2017 年度以降は日本原子力産業協会資料。
（出所）経済産業省資源エネルギー庁『エネルギー白書 2019』134 頁。

発が動いていることはないし、原発の稼働率が80％に達することもきわめて難しい、と言わざるをえない。端的に言えば、２０３０年「原発比率20～22％」は、実現不可能なのである。

すでに述べたように、原子力発電を何らかの形で使い続けるのであれば、危険性を最小化するため、最新鋭炉を新増設するとともに古い炉を思い切って廃棄するリプレースを行うことが求められる。最新鋭炉を建設する一方で、古い炉についてはそれを上回るペースで廃棄するのである。リプレースを行うことによって、２０３０年の電源構成に占める原子力の比率は15％程度に抑えるべきであろう。

◉バックエンド問題の重大性と解決方向

(4)のバックエンド対策（使用済み核燃料の処理）の進め方について。

表３-３は、日本の使用済み核燃料の現状を、２０１９年７月１日時点でまとめたものである。この表からわかるように、わが国にはこれまで１万８０００ト

表 3-3　日本の使用済み核燃料の現状と対策（2019 年 7 月 1 日時点）

現状	使用済燃料　貯蔵容量 約 18,000 トン／約 24,000 トン＝約 75%		余裕年数
主な対策	伊方発電所　③稼働中 710 トン／ 1,080 トン		11 年
		＋ 500 トン　乾式貯蔵　申請中	→ 36 年
	玄海原子力発電所　③④稼働中 910 トン／ 1,130 トン		3 年
		＋ 290 トン　リラッキング　申請中	
		＋ 440 トン　乾式貯蔵　申請中	→ 14 年
	東海第二発電所　安全対策工事中 370 トン／　440 トン		3 年
	180 トン既設	**＋ 70 トン**　乾式貯蔵　検査・製造中	→　6 年
	浜岡原子力発電所　③④審査中 1,130 トン／ 1,300 トン		2 年
		＋ 400 トン　乾式貯蔵　申請中	→　8 年
	むつ中間貯蔵施設	**＋ 3,000 トン**　乾式貯蔵　申請中	

（出所）経済産業省資源エネルギー庁『昨今のエネルギーを巡る動向とエネルギー転換・脱炭素化に向けた政策の進捗』33 頁により作成。
（注）1.　余裕年数は、すべての炉が一斉に稼働したと仮定し、16 ヵ月毎に燃料を取り替え、敷地外に搬出しなかった場合に、貯蔵容量の余裕がなくなるまでを試算した年数。
2.　○内は号機。例えば、③は 3 号機。

ンの使用済み核燃料が堆積しており、すでに貯蔵容量の75%が埋まっている。各原子力発電所における貯蔵余裕年数もまもなく尽きようとしており、乾式貯蔵による中間貯蔵（青森県のむつ中間貯蔵施設の増強を除いては、原発サイト内での中間貯蔵をめざしているので「オンサイト中間貯蔵」となる）を中心とする対策が講じられようとしている。

使用済み核燃料の処理問題（バックエンド問題）に関連して思い出されるのは、2013年以降脚光を浴びている小泉純一郎元首相の一連の発言である。その小泉発言については、原発を「トイレのないマンション」とみなす問題提起は正しいが、「原発ゼロ」という答えは的外れだと言わざるをえない。原発を即時ゼロにしても、大量の使用済み核燃料が残ったままだからである。稼働していた原発の基数および在任期間を考慮に入れると、小泉氏は、日本で最も多くの使用済み核燃料を生み出した首相だということになる。自ら立てた問題に真摯に答えるのであれば、小泉氏がとるべき態度は「原発ゼロ」を唱えることではなく、使用済み核燃料処理問題の解決のためリーダーシップを発揮することだろう。

つまり、バックエンド問題は、原発への賛否にかかわらず社会全体が解決を迫られている問題だということになる。どのような解決策がありえるのだろうか。

2014年に閣議決定された第4次エネルギー基本計画では、小泉発言の影響もあって、使用済み核燃料の最終処分に関して、国が前面に出て対応する方針を打ち出した[11]。しかし、国が主導権をとったとしても、使用済み核燃料の最終処分問題がすぐに解決するとは、到底思えない。

バックエンド問題に対処するためには、使用済み核燃料を再利用するリサイクル方式をとるにしろ、それを1回の使用で廃棄するワンススルー（直接処分）方式をとるにせよ、最終処分場の立地が避けて通ることのできない課題となる。この立地を実現することは、きわめて難しい。

最終処分場では使用済み核燃料を地下深く「地層処分」することになるが、その埋蔵情報をきわめて長い期間にわたって正確に伝達することは至難の技である。リサイクル方式をとれば危険な期間は短縮されるかもしれないが、それでも「万年」の単位にわたるという。つまり、伝達期間は少なくとも何百～何千世代にも及ぶことになる。原発推進派のなかには「地層は安定しているから大丈夫だ」と主張する向きもあるが、それでは地上はどうなのだろうか。例えば、プルトニウム（２３９）の半減期は2万４０００年だが、２万年前には北海道はアジア大陸と陸続き、本州から種子島まで陸続きで、日本列島の姿は今とはまったく異なっていたという。

使用済み核燃料の危険な期間が万年単位のままでは、いくら政府が前面に出ても、最終処分地が決まるはずはない。最終処分地の決定には危険な期間を数百年程度に短縮する有害度低減技術の開発が必要不可欠である。使用済み核燃料の有害度低減技術の開発については、その困難性のゆえに否定的な見解をもつ識者も多いが、どんなに高いハードルであってもそれをクリアしない限り、あるいは少なくともそれにチャレンジしない限り、人類の未来は開けないと言えよう。

もし、最終処分場の立地が実現することがあるとすれば、それは、使用済み核燃料の容量が小規模化し、危険な期間が大幅に短縮された場合だけだろう。この小規模化と期間短縮を「減容化」と表現するが、２０１４年策定の第４次エネルギー基本計画は、その使用済み核燃料の減容化について、次のように述べていた。

「放射性廃棄物を適切に処理・処分し、その減容化・有害度低減のための技術開発を推進する。具体的には、高速炉や、加速器を用いた核種変換など、放射性廃棄物中に長期に残留する放射線量を少なくし、放射性廃棄

11　閣議決定『エネルギー基本計画』２０１４年４月、44-45頁。

物の処理・処分の安全性を高める技術等の開発を国際的なネットワークを活用しつつ推進する」[12]。

「もんじゅについては、廃棄物の減容・有害度の低減や核不拡散関連技術等の向上のための国際的な研究拠点と位置付け、これまでの取組の反省や検証を踏まえ、あらゆる面において徹底的な改革を行い、もんじゅ研究計画に示された研究の成果を取りまとめることを目指し、そのため実施体制の再整備や新規制基準への対応など克服しなければならない課題について、国の責任の下、十分な対応を進める」[13]。

つまり、第4次エネルギー基本計画では、「もんじゅ」の高速炉技術を、これまでのように核燃料の増殖のためでなく[14]、使用済み核燃料の減容化のために転用するという方針が、すでに打ち出されていたのである。

この「もんじゅ」に対する第4次エネルギー基本計画の方針は、正しかった。ところが政府は、2016年12月に「もんじゅ」の廃炉を正式決定した。2018年決定の第5次エネルギー基本計画の策定にあたっては、「もんじゅ」に代わる毒性軽減炉開発のきっかけをどう明記するかが1つの焦点となったが、結局、抽象的な記述に終始し、ここでも、問題は先送りされた。「もんじゅ」に替えて、どのように減容炉・毒性軽減炉開発を進めるのか、これが、バックエンド対策構築の第1の、そして最大の焦点となる。

ただし、バックエンド問題の解決には時間がかかるから、その間、原発敷地内に、燃料プールとは別の追加的エネルギーを必要としない空冷式冷却装置を設置し、「オンサイト中間貯蔵」を行うことも求められる。これが、バックエンド対策構築の第2の焦点である。

さらに言えば、きわめて困難とされる減容炉・毒性軽減炉に関する技術革新が成果をあげず、バックエンド問題が解決しないこともありうる。その場合に備えて、「リアルでポジティブな原発のたたみ方」という選択肢も準備すべきだ。これはバックエンド対策構築の第3の焦点と言えるが、この点については、次々項で改めて論じる。

使用済み核燃料の処理問題にどう向きあうべきか。(1)「もんじゅ」に代わる有害度低減技術開発の具体的な方針を確立すること。(2)原発敷地内に空冷式冷却装置を設置し「オンサイト中間貯蔵」を行うこと。(3)「リアルでポジティブな原発のたたみ方」という選択肢も準備すること。これらの3点が重要だと思われる。

◉現時点で原子力発電の将来を「決め打ち」することはできない

(5)の原子力の未来について。

第5次エネルギー基本計画は、エネルギー情勢懇談会の提言を受けて、2050年時点で、再生可能エネルギーを「主力電源化」することをめざすと明記するとともに、原子力に関しても「実用段階にある脱炭素化の選択肢」として高い位置づけを与えた。しかし、政府が原子力発電のリプレースを回避している以上、原発が長期的に「脱炭素化の選択肢」であり続けることは不可能である。その意味で、原子力の未来は暗い。

一方で、「原発を即時ゼロにすべきだ」という意見には与することができない。資源小国の日本では、原子力は今でも、エネルギー源として、重要な選択肢の1つだからである。選択肢を安易に捨てることは、資源小国にとっては、致命傷につながりかねない。

原子力の未来を決定づけるのは、使用済み核燃料の対策（バックエンド対策）の成否である。バックエンド問題を解決することができれば、原発を使い続けることができるし、解決することができなければ、たとえ重要な選択肢

12 閣議決定『エネルギー基本計画』2014年4月、46頁。
13 閣議決定『エネルギー基本計画』2014年4月、46頁。
14 「もんじゅ」は、もともと、高速増殖原型炉として建設された。

の１つであっても、原発をたたまざるをえない。すべては、今後のバックエンド対策の成否にかかっているのであり、現時点で原子力発電の将来を「決め打ち」することはできない。

●リアルでポジティブな原発のたたみ方

それでは、使用済み核燃料の処理問題が解決せず原子力発電の廃止を選択せざるをえなくなったときには、それをどう進めるのか。これが、(6)の問題である。

このような事態が生じることも念頭において、「リアルでポジティブな原発のたたみ方」も、オプションとして用意しておかなければならない。

リアルでポジティブな原発のたたみ方の柱となるのは、①火力シフト（送変電設備を活用した原子力発電から火力発電への転換）、②廃炉ビジネス（旧型炉の廃炉作業などによる雇用の確保）、③オンサイト中間貯蔵への保管料支払い（使い終わった電気が生み出した使用済み核燃料という危険物質を預かってもらうことに対して、消費者が電気料金等を通じて支払う保管料）、からなる原発立地地域向けの「出口戦略」だ。このような出口戦略が確立すれば、現在の立地地域も、「原発なきまちづくり」が可能になる。

原発は、発電設備は危険だが、変電設備・送電設備は立派であるわけだから、時間はかかるだろうが、発電設備をＬＮＧ火力や最新鋭石炭火力に置き換えたうえで、変電所・送電線は今のものを使い続ければいい。そうすれば、火力発電のビジネスと原発廃炉の仕事によって、地元のまちの雇用は確保され、経済は回る。さらに、これらに使用済み核燃料の保管料が加わる。原発立地地域の「原発なきまちづくり」は、不可能ではないのだ。

②の廃炉ビジネスに関連して言えば、何よりも廃炉の社会的意義を明確にする必要がある。これからは国内外に

おいて原子力施設の廃炉・廃止は不可避であり、廃炉ビジネスが21世紀前半の原子力事業の柱となることは、否定のしようがない。原発推進派のなかには「原子力発電所を作らない限り原子力人材は育たない」という人が多いが、日本国内での原発の新増設は、今後、たとえリプレースがあったにしても、せいぜい数基にとどまる。それだけでは、原子力人材は育成されないことになる。廃炉技術の社会的意義を明確にして、それを原子力工学の中心に据え直さない限り、必要な人材を確保することは困難だろう。つまり「廃炉を通じて原子力人材を育てる」べきなのである。

◉誰が主たる担い手となるのか

最後に、(7)の原子力問題の解決に取り組む主体について。

日本の原子力発電は「国策民営方式」で進められてきたが、その結果、国と民間電力会社とのあいだに、「もたれ合いによる責任の曖昧化」という弊害が生まれた。この弊害を解消するには、原子力発電について、国が責任をもつか、民間が責任をもつか、はっきりさせるしかない。このうち国が責任をもつ方式は、福島第一原発事故後の9年のあいだに、原子力政策の面で政府があてにならないことが明らかになった以上、成り立ちえない。そうであるとすれば、民間が責任をもつ方式しかないことになる。

繰り返しになるが、この9年のあいだ、政治家や官僚は、原子力に関して、できる限り事を荒立てず、問題の「先送り」を決め込んできた。問題の先送りに終始する政治家や官僚には何も期待できない。リプレースの決断を含め、原子力問題を解決するカギは、民間電力会社が握っているのである。

その場合にも、使用済み核燃料の処理や事故への対応などの面で、政府の役割はある程度残る。しかし、原子力問題に関する主たる責任は、あくまで民間事業者である電力会社が負うことになる。

第4章 火力発電をどうするか

CCSとCCU

◉高い火力発電の比率

ここまで、再生可能エネルギー電源と原子力発電の将来について検証してきた。本章では、火力発電を取り上げる。

前掲した図序-1からわかるように、日本において、東京電力・福島第一原子力発電所事故の前年である2010年度に65%（LNG［液化天然ガス］29%、石炭28%、石油9%）であった電源構成における火力発電の比率は、2017年度には81%（LNG40%、石炭33%、石油9%）にまで上昇した。原発事故以前からわが国における主力電源であった火力発電は、事故後、その度合いをさらに強めたわけである。

図4-1は、日本における電源別の発電電力量の推移を示したものである。この図から、2010～17年度の火力発電比率の上昇が、福島原発事故の影響で生じた原子力発電比率の大幅な低下によってもたらされたことを伝えている。原発比率の低下分は、一部、再生可能エネルギー発電（図中の「新エネ等」と「水力」）比率の上昇で補われたものの、基本的には火力発電比率の上昇でカバーされたことが判明する（この点については、図序-1からも確認

することができる)。

火力発電比率の上昇に連動して、日本の一次エネルギー供給構成に占める化石燃料の比率も、２０１０年度の81%(石油40%、石炭23%、LNG18%)から２０１７年度の87%(石油39%、石炭25%、LNG23%)へ増加した(図序-1)。わが国における火力発電のウエートも、化石燃料のウエートも、きわめて大きいのである。

◉ ２つの閣議決定の矛盾

ここで忘れてはならない点は、わが国の長期的な環境・エネルギー政策をめぐって、２つの閣議決定が現存することである。１つは２０１８年に経済産業省主導で決定された第５次エネルギー基本計画であり、もう１つは２０１６年に環境省主導で決定された２０５０年までに温室効果ガスの80%削減をめざす地球温暖化対策計画[1]である。問題は、これら２つの閣議

1 閣議決定『地球温暖化対策計画』２０１６年５月13日。

図 4-1　日本の電源別発電電力量の推移 (1952 ～ 2017 年度)

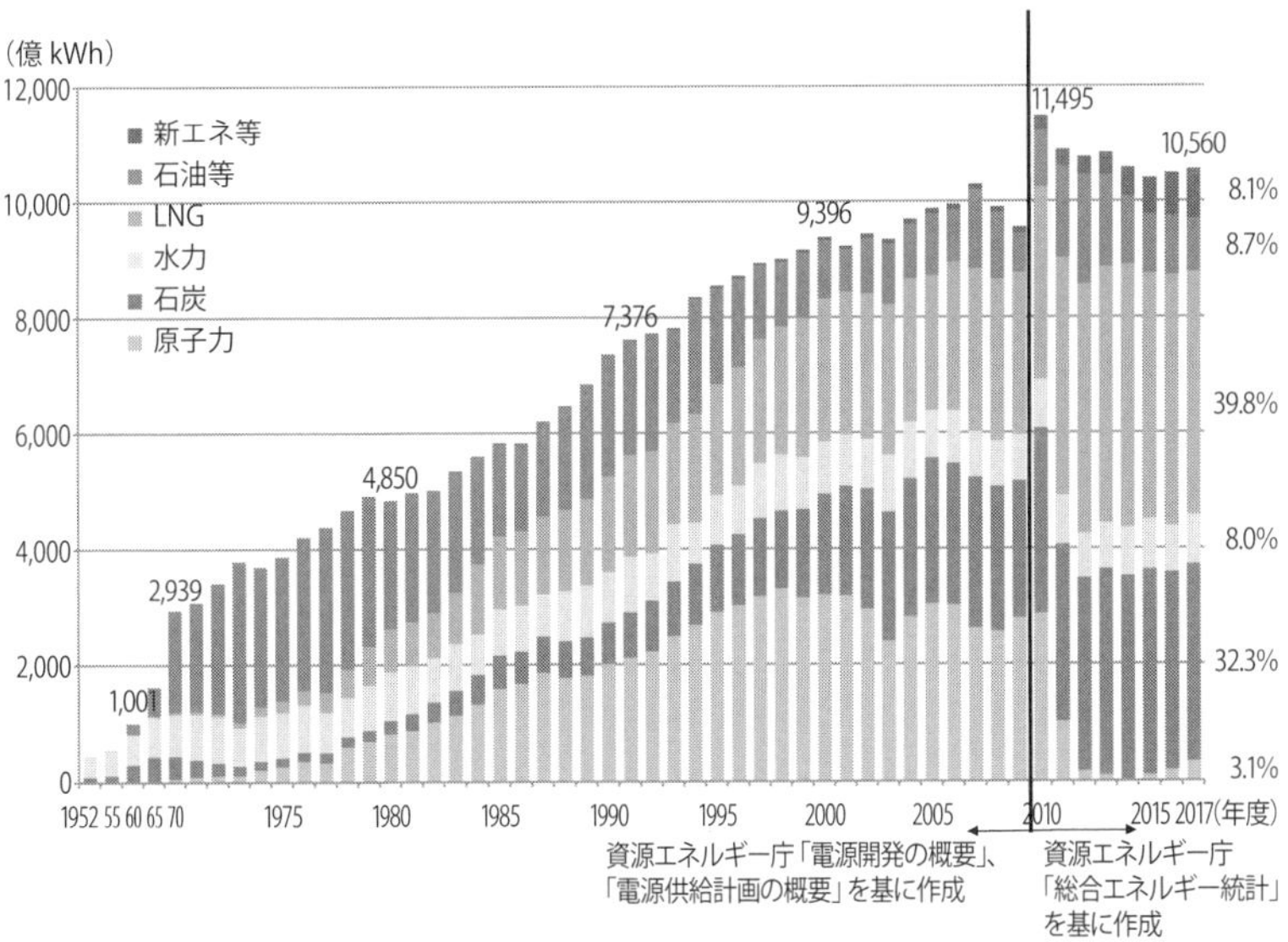

(出所) 経済産業省資源エネルギー庁『エネルギー白書 2019』156 頁。

決定が実質的には矛盾していることにある。

第5次エネルギー基本計画は、2030年の日本における電源構成を、原子力発電20〜22%、再生可能エネルギー（水力を含む）発電22〜24%、火力発電56%と見込んだ2015年策定の長期エネルギー需給見通しを追認した。一方、地球温暖化対策計画が掲げるように、2050年までに温室効果ガスを80%削減するのであれば、そのときの電源は、ほとんどすべてをいわゆる「ゼロエミッション電源」としなければならない。温室効果ガス（その大半はCO_2）排出量ゼロのゼロエミッション電源は、原子力発電、再生可能エネルギー発電、CCS（Carbon dioxide Capture and Storage：二酸化炭素回収・貯留）付き火力発電の3つからなる。2030年に20〜22%という目標を達成することさえ困難視される原子力発電は、2050年には電源構成に占める比率を低下させている可能性が高い。再生可能エネルギー発電は比率を高めているだろうが、全体をカバーするまでには到底いたっていないであろう。そうだとすれば、2050年の電源構成において、CCS付き火力発電は、相当の比率を占めることになる。ところが、2030年に56%を占めると見込んだ火力発電へのCCSの装備について、長期エネルギー需給見通しは、具体的な施策を打ち出していない。このように、2つの閣議決定、つまり長期エネルギー需給見通しと地球温暖化対策計画とは、実質的に矛盾しているのである。

この矛盾を解決するには、どうすれば良いだろうか。本章では、この大問題を掘り下げていく。

◉地球温暖化対策は国際的視点に立って

パリ協定を採択した2015年のCOP21（国連気候変動枠組条約第21回締約国会議）で日本政府は、2030年度における国内の温室効果ガス排出量を、２０１３年度の水準から26％削減することを国際公約した。[2] その後政府は、２０１６年の地球温暖化対策計画で、２０５０年までに温室効果ガスの80％削減をめざす方針を打ち出したのである。

政府の国際公約の基準年である２０１３年度の日本の温室効果ガス排出量は、14億８００万トンであった。[3] それを80％削減するというのであれば11・３億トン減らすことになり、２０５０年時点での温室効果ガス排出許容量は２・８億トンにとどまる。

２０１７年４月にまとめられた経産省の長期地球温暖化対策プラットフォームの報告書の整理によれば、製品や作物の生産に付随して不可避の温室効果ガス排出量は、４億トンである。仮に、２０１７年時点の技術を前提にして、80％削減目標を国内対策のみで実施するとすれば、「農林水産業と２～３の産業しか国内で許容されない」[4]。つまり、国内対策だけでは「80％削減目標」は、達成されないわけである。地球温暖化対策に本気で取り組もうとするならば、国際的対策に力を入れざるをえない。

――◉高効率石炭火力発電技術の海外移転は地球温暖化対策の「切り札」

ここで重要な点は、地球温暖化対策に本腰を入れるのであれば、温室効果ガス排出量を日本国内で削減するより

2　経済産業省資源エネルギー庁「今さら聞けない『パリ協定』～何が決まったのか？ 私たちは何をなすべきか？～」２０１７年８月17日（https://www.enecho.meti.go.jp/about/special/tokushu/ondankashoene/pariskyotei.html）。
3　環境省「２０１３年度（平成25年度）の温室効果ガス排出量（確報値）＜概要＞」２０１５年４月（http://www.env.go.jp/earth/ondanka/ghg-mrv/emissions/results/material/kakuhou_gaiyo_2013.pdf）。
4　以上の点については、経済産業省長期地球温暖化対策プラットフォーム『長期地球温暖化対策プラットフォーム報告書―我が国の地球温暖化対策の進むべき方向―』２０１７年４月７日、9-10頁参照。

も海外で削減する方が、はるかに効果的だということである。具体的に言えば、わが国の高効率石炭火力発電技術の移転による海外でのCO_2排出量削減が、決定的に重要な意味をもつことになる。

もちろん石炭火力発電には、CO_2を大量に排出し、地球温暖化を深刻化させるという、大きな問題点がある。確かに、石炭火力発電の発電電力量当たりのCO_2排出量は大きい。火力発電用燃料コストの抑制策として石炭火力発電所を新増設すれば、それがたとえ最新鋭の高効率な発電設備であったとしても、日本国内でCO_2が増大することは避けられないだろう。

しかし、ここで見落としてはならないのは、われわれが現在直面しているのは「日本環境問題」ではなく、「地球環境問題」だという点である。この点を視野に入れれば、日本の効率的な石炭火力発電技術は、世界的規模でCO_2排出量を減らす、地球温暖化対策の「切り札」となりうるという、「意

図4-2　世界と主要国の電源別発電電力量の構成比（2017年）

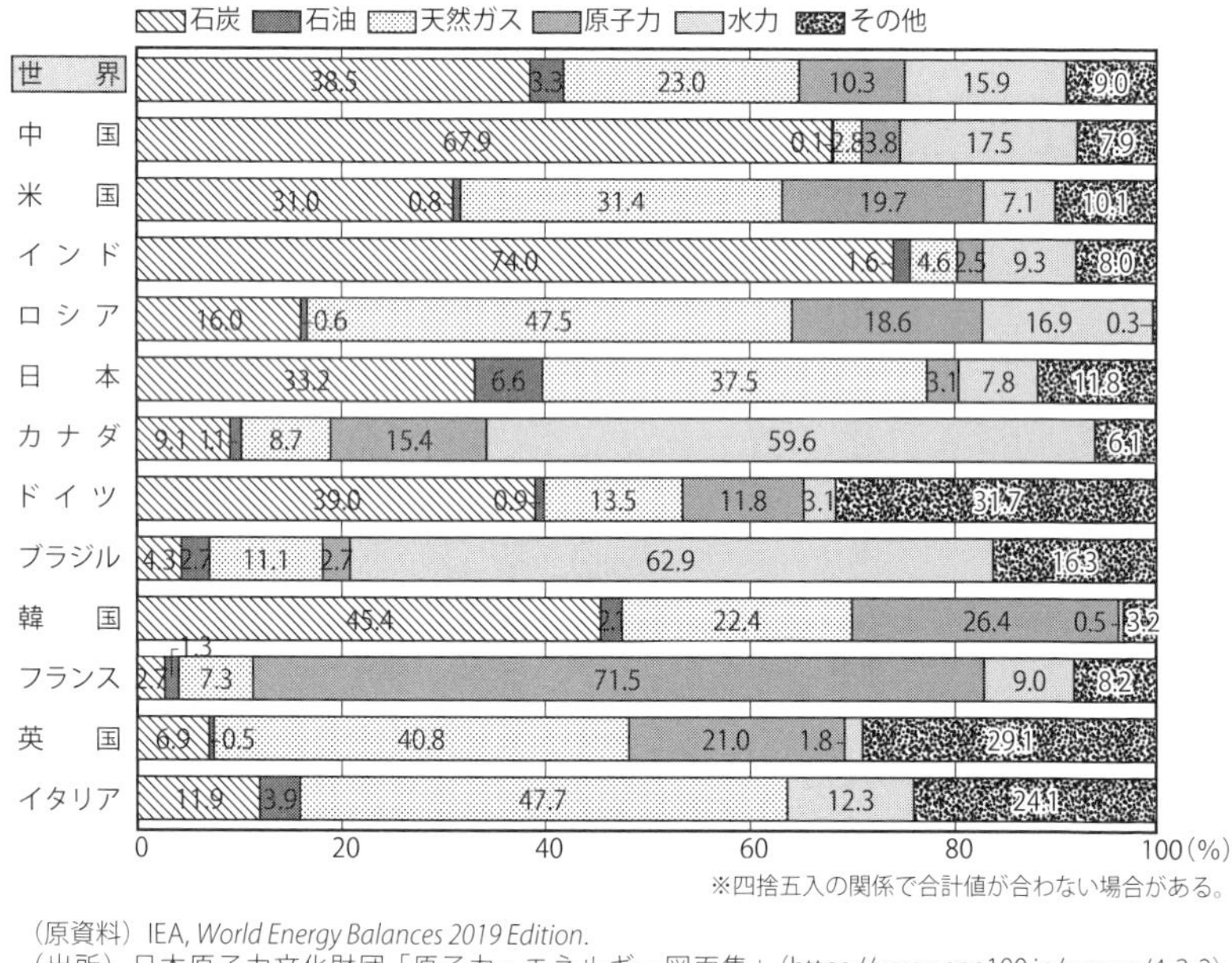

※四捨五入の関係で合計値が合わない場合がある。

（原資料）IEA, *World Energy Balances 2019 Edition*.
（出所）日本原子力文化財団「原子力・エネルギー図面集」（https://www.ene100.jp/zumen/4-2-2）2019年10月1日。

外な事実」が見えてくる。われわれに求められるのは、最も多くCO_2を排出する石炭火力発電所の効率を改善することができれば、CO_2排出量を最も多く減らすことができるという、柔軟な「逆転の発想」である。

図4-2は、世界および主要国の電源別発電電力量の構成比を2017年について見たものである。この図からわかるように、世界の発電の主流を占めるのはあくまで石炭火力なのであり、電源別構成比の点で石炭火力（38・5%）は、天然ガス火力（23・0%）、水力（15・9%）、原子力（10・3%）、その他（9・0%）、石油（3・3%）をはるかに上回る。石炭火力のウエートを国別に見ると、日本が33・2%、米国が31・0%であるのに対して、中国は67・9%、インドは74・0%に達する。発電面で再生可能エネルギーの使用が進んでいると言われるドイツにおいてでさえ、石炭火力のウエートは39・0%に及ぶ。

長期的に見ても、世界全体での石炭火力の発電電力量は減りそうにない。図4-3からわかるように、IEA（国際エネルギー機関）の「新政策シナリオ」（2018年時点で

図 4-3　世界の電源別発電電力量の見通し（2000 ～ 40 年、新政策シナリオ）

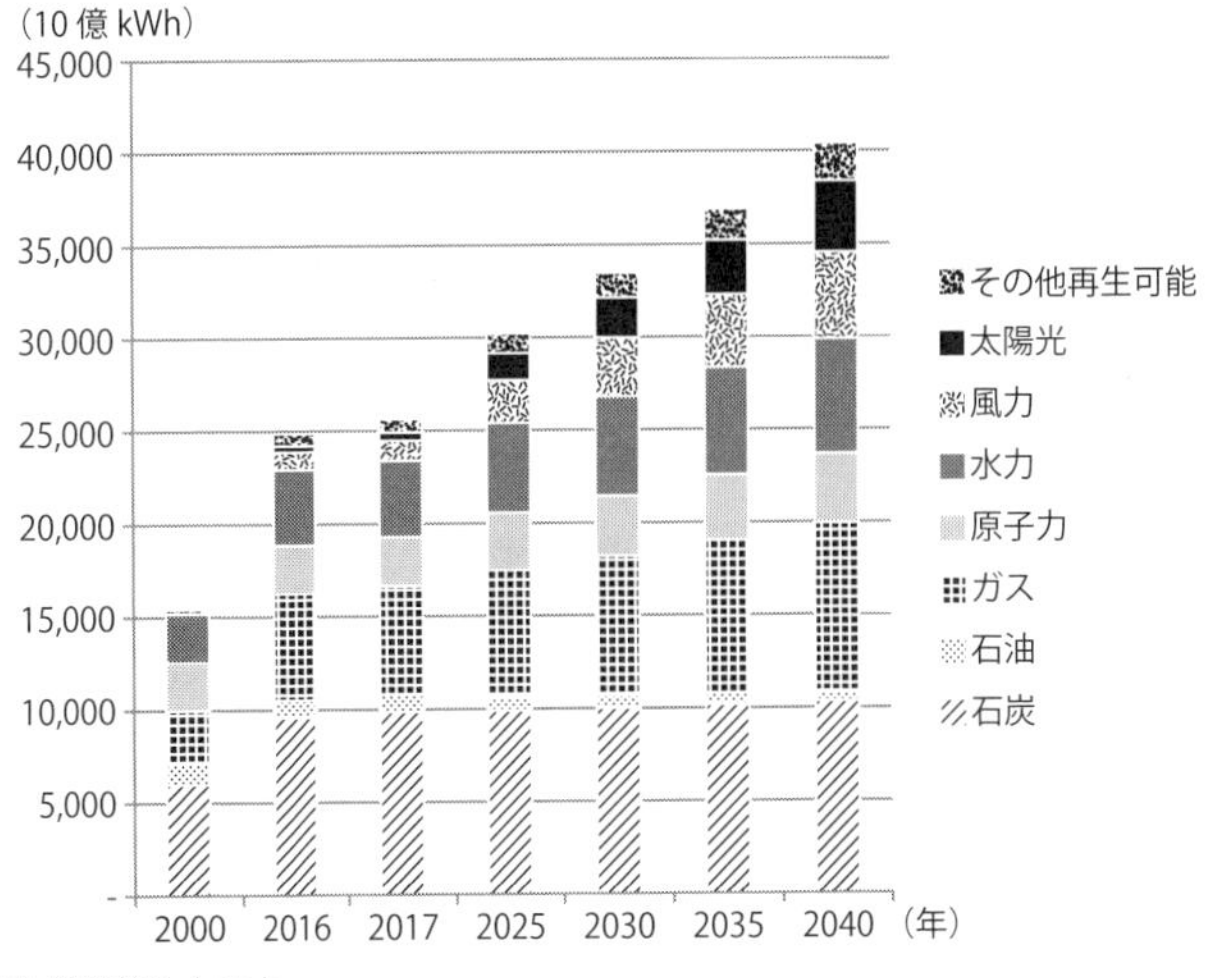

（原資料）IEA, 新政策シナリオ。
（出所）経済産業省資源エネルギー庁『昨今のエネルギーを巡る動向とエネルギー転換・脱炭素化に向けた政策の進捗』76 頁から抜粋。

の気候変動に関する各国政府の政策公約が実施された場合のシナリオ）によれば、２０１７年から２０４０年にかけて、世界の電源別発電電力量構成比に占める石炭火力の比率は38％から26％へ低下するものの、石炭火力の発電電力量自体は10兆kWh強の水準を維持することになる。図４‐４にあるとおり、２０１７〜４０年には石炭火力の発電容量が欧米で減少する一方で、インド・東南アジア・中国では増加するからである。

　国際的にみて中心的な電源である石炭火力発電の熱効率に関して、日本は、世界トップクラスの実績をあげている。[5]したがって、日本の石炭火力発電所でのベストプラクティス（最も効率的な発電方式）が諸外国に普及すれば、それだけで、世界のCO_2排出量は大幅に減少することになる。

　図４‐５が示すように、２０１４年のデータにもとづく資源エネルギー庁の試算によれば、中国・米国・インドの３国に日本の石炭火力発電のベストプラクティスを普及するだけで、CO_2排出量は年間12億７００万トンも削減される。この削減量は、２０１３年度の日本の温室効果ガス排出量（14億８００万トン）の86％に相当する。日本の石炭火力のベストプラクティスを中

図 4-4　主要地域における石炭火力・ガス火力の発電容量の増減見通し（2017 ～ 40 年）

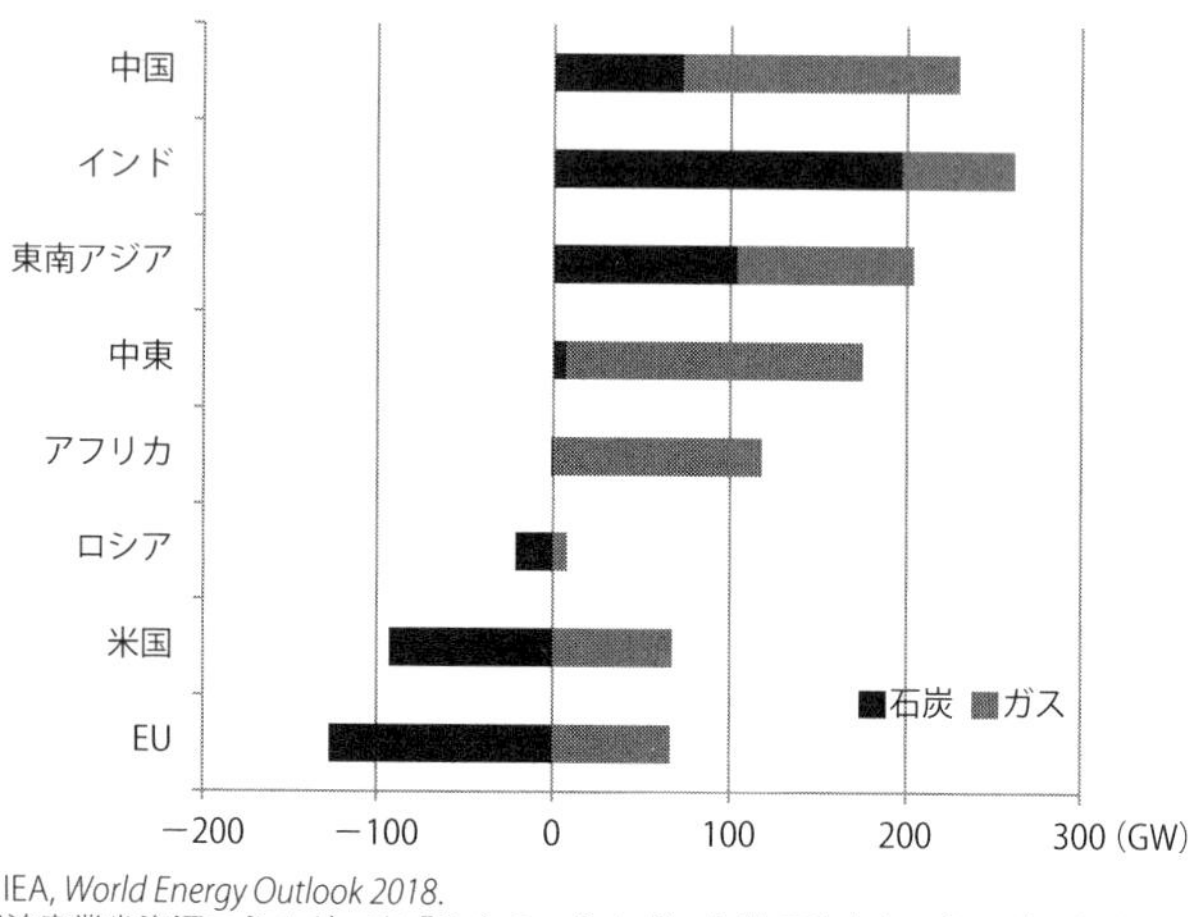

（原資料）IEA, *World Energy Outlook 2018.*
（出所）経済産業省資源エネルギー庁『昨今のエネルギーを巡る動向とエネルギー転換・脱炭素化に向けた政策の進捗』76 頁から抜粋。

米印3国に普及しさえすれば、COP21で政府が国際公約した「2013年度比26％削減目標」の3・7倍の温室効果ガス排出量削減効果を、2030年を待たずして、すぐにでも実現できるわけである。この事実をふまえれば、日本の石炭火力技術は地球温暖化防止の「切り札」となると言っても、けっして過言ではないだろう。

◉石炭火力発電「悪者」説とその問題点

これまで日本国内では、地球温暖化問題の深刻化とともに、石炭火力発電に対する風当たりが強まる現象がみられた。発電電力量当たりのCO_2排出量が多いことをとらえて、短絡的に石炭火力発電を「悪者」扱いし、その新増設に反対するばかりか、極端な場合には、その撤去さえ求める論調が存在したのである。

確かに、石炭火力発電の発電電力量当たりのCO_2排出量は大きい。しかし、そうであるからと言って、石炭火力を「悪者」扱いするのは正しいだろうか。答えは「否」である。

5 この点については、橘川武郎『火力発電と化石燃料の未来形』エネルギーフォーラム、2015年、36-37頁参照。

図4-5 石炭火力発電からのCO_2排出量実績（2014年）と日本の最高効率適用ケース

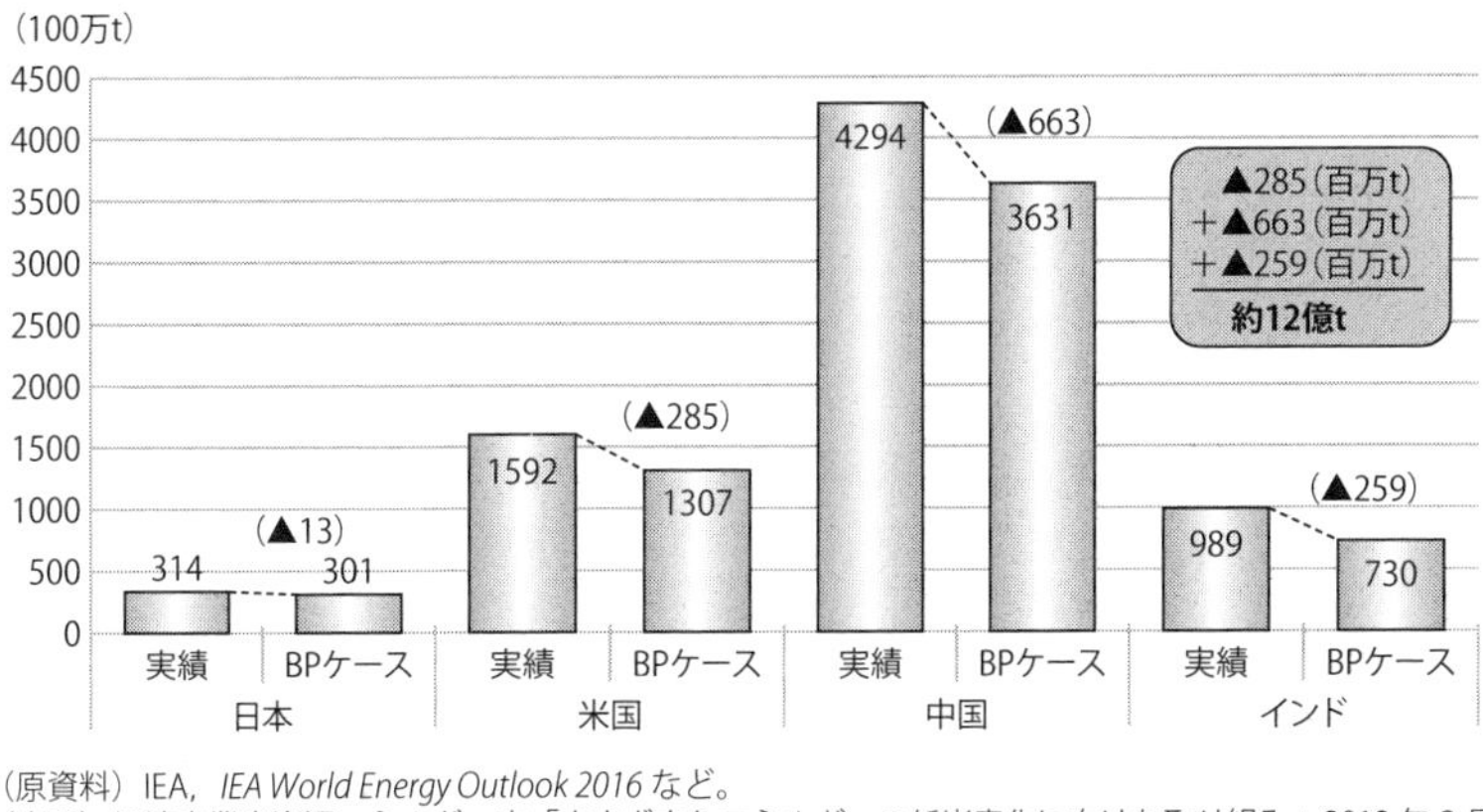

（原資料）IEA, *IEA World Energy Outlook 2016* など。
（出所）経済産業省資源エネルギー庁「さまざまなエネルギーの低炭素化に向けた取り組み」2018年2月8日（https://www.enecho.meti.go.jp/about/special/tokushu/ondankashoene/co2sakugen.html）。

まず、石炭火力発電「悪者」説は、石炭火力がもつ経済面やエネルギーセキュリティ（エネルギー安定供給）面での優位性を等閑視している点で、一面的である。もし、国内において、一般供給用および自家用の石炭火力発電の規模が抑制されることになれば、電力コストが上昇するだけでなく、化学工業や鉄鋼業をはじめとして、日本の多くの基幹産業が国際競争力を失うことになるだろう。また、石炭に関しては、供給源が原油のように特定地域に集中しておらず世界各地で産出されるうえ、２０１６年度には日本企業によって開発・生産された「石炭の自主開発比率」が61％に達している事実[6]を見落としてはならない。つまり、石炭は、石油や天然ガスにはない経済面やエネルギーセキュリティ面での優位性を有しているのである。石炭火力発電「悪者」説は、エネルギー問題を考える場合に念頭におくべきだと長いあいだ言われてきた「３つのＥ（Economy, Energy Security, Environment）」のうち、エコノミーとエネルギーセキュリティを等閑視したものであり、一面的であるとのそしりを免れえない。

◉注目すべき3つの事実

ただし、ここで強調すべき論点は、むしろ別のところにある。それは、石炭火力発電「悪者」説が、３つのＥのうちの残る1つのＥ、すなわち肝心の環境（Environment）問題に関しても、重大なミス・リーディングをもたらしかねない点である。

この論点に関して指摘すべき第1の事実は、地球環境問題はあくまで地球大で解決しなければ意味がないことである。２０１６年の日本のエネルギー起源CO_2排出量は、世界全体のそれの３・５％弱を占めるに過ぎない[7]。日本が２０３０年までにCO_2排出量削減の26％目標（２０１３年度比）を達成したとしても、それだけでは世界のCO_2排出量は1％弱（4％弱×26％＝約0・9％）しか減らず、わが国による26％目標達成の地球温暖化対策としての貢献度はそれほど高くないことである。地球環境問題を解決するためには、CO_2排出量を地球的規模で削減しなければならないのであり、それを進めるうえで、世界最高クラスの石炭火力発電の熱効率など、日本の技術力の出番は大きいのである。

指摘すべき第2の事実は、石炭火力発電は世界の主流を占める発電方式であり、たとえ日本でだけ石炭火力を縮小しても、国際的な石炭火力依存が変わらない限り、地球環境問題の解決策とはならないことである。すでに指摘したように、世界の発電の主流を占めるのはあくまで石炭火力なのであり、当面、その状況が変わることはないのである。

注目すべき第3の事実は、日本の石炭火力の熱効率は世界最高水準にあり、その技術を国際移転すれば、

6 閣議決定『エネルギー基本計画』２０１８年7月、27頁。
7 環境省「世界のエネルギー起源CO_2排出量（２０１６年）」（www.env.go.jp/earth/2019/co2_emission_2016.pdf#search=%27国別co2排出量%27）。

図 4-6　石炭火力発電の熱効率の国際比較

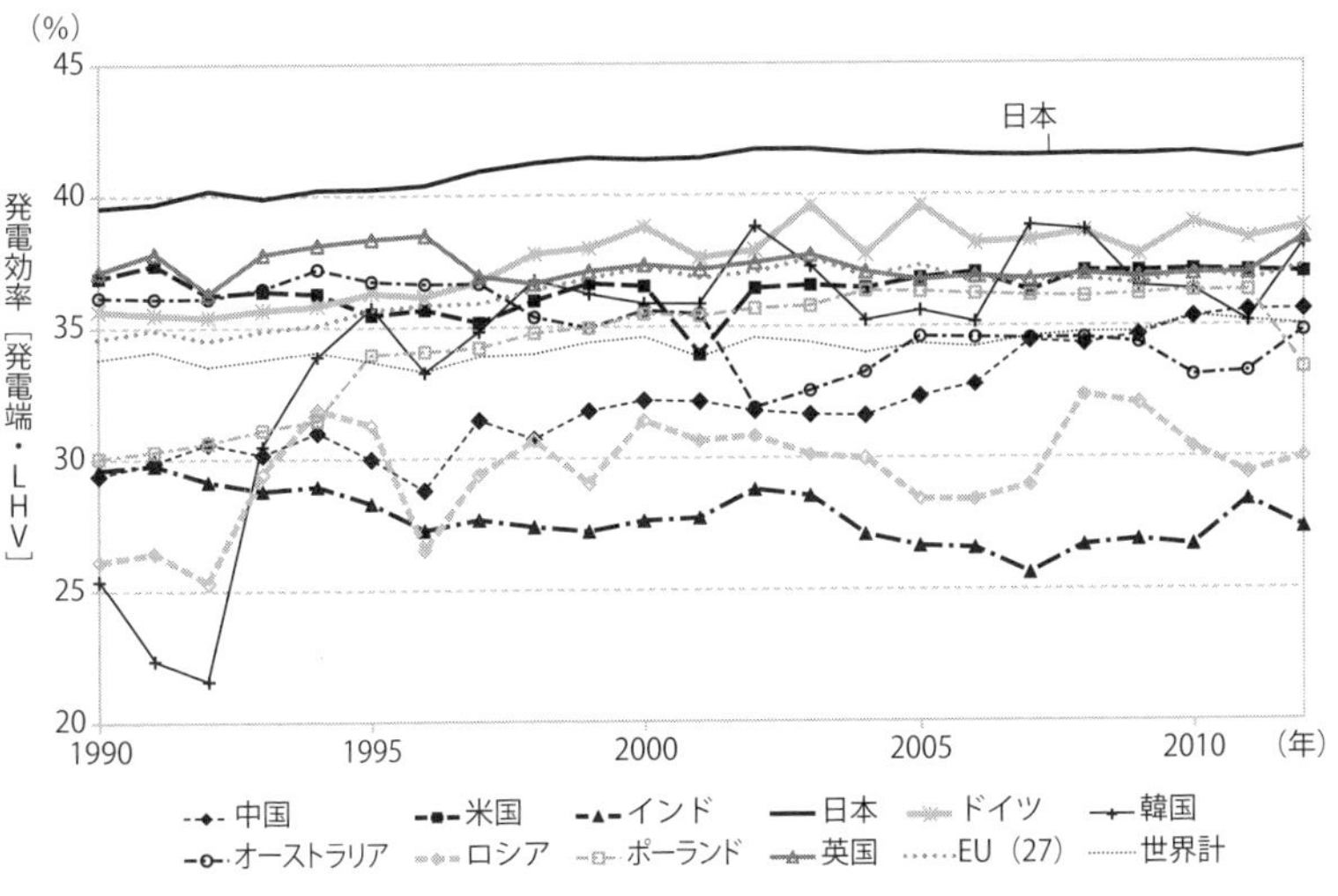

（原資料）IEA, *Energy Balance: OECD and Non-OECD Countries*.
（出所）経済産業省資源エネルギー庁『火力発電における論点』2015 年 3 月。
（注）LHV は、低位発熱量基準（Low Heating Value）で、燃焼時の水の生成による凝縮熱を発熱量に含めない基準。

すぐにでもCO_2排出量を大幅に削減することができることである。国際的にみて中心的な電源である石炭火力発電の熱効率に関して、日本は、ドイツ・米国・中国・インドを凌ぎ、北欧諸国と並んで世界トップクラスの実績をあげている（図4-6）。したがって、日本の石炭火力発電所でのベストプラクティスを諸外国に普及すれば、それだけで、世界のCO_2排出量は大幅に減少することになる。

◉「正義の味方」としての石炭火力発電

これまで指摘してきたような3つの事実に目を向けると、石炭火力発電「悪者」説が、肝心の環境問題に関しても的外れなものであることは明らかである。石炭のほぼ全量を輸入する日本では、割高な海外炭を効率よく使用する必要に迫られる。また、新興国や多くの先進国と比べて、わが国における環境規制は、より厳格である。したがって、石炭火力発電が日本に存在するからこそ、熱効率の向上は進み、CO_2排出量原単位の改善をもたらす技術革新が進展することになる。その石炭火力発電を「悪者」視して日本から追い出したりすると、CO_2排出量の世界的規模での削減につながる技術革新は停滞する。このような意味で石炭火力発電「悪者」説はミス・リーディングなのであり、われわれとしては、日本の石炭火力発電をCO_2排出量削減の「正義の味方」として、正しく評価しなければならないのである。

ここで指摘しておくべき点は、日本でよく聞かれる「高効率石炭火力技術の輸出には賛成だが、国内での石炭火力建設には反対だ」という議論は、成り立たないことである。日本国内で石炭火力開発が行われるからこそ、技術革新が進展し、高効率発電技術が磨かれる。石炭のほぼ全量を輸入するわが国では、その分割高となる燃料コストを少しでも削減しようとして、燃焼効率改善の技術革新が進む。世界最高水準の高効率石炭火力発電技術は、燃料コスト削減のインセンティブが最も強く作用する日本の地であるからこそ、開発が進展するのだ。わが国は、「石炭火力の世界的R&Dセンター」だと言える。

このほか、日本の鉄鋼業界が推進する省エネ技術の海外移転によりCO_2排出量を減らすセクター別アプローチや、化学業界が取り組む原料採取から最終消費・廃棄までの全過程でCO_2排出量を抑制するライフサイクルアセスメント（LCA）も、国際的対策として威力を発揮する。発電事業や製鉄業・化学工業はCO_2排出量が多く、「温暖化の元凶」とみなされてきたが、むしろこれらの業種こそ、温暖化を抑える国際的対策の「救世主」となりうるのだ。

これらの国際的対策は、先述した2つの閣議決定間の矛盾を緩和する。政府は、発電・製鉄・化学業界と連携し、2050年までに温室効果ガス排出量を世界中で11・3億トン削減する具体的プランを、直ちに策定すべきだ。

◉二国間クレジットとカーボンプライシング

ただし、日本の石炭火力発電所でのベストプラクティスを諸外国に普及させ、それによって海外でCO_2排出量を大幅に減少させるためには、いくつかの制度改革が必要だ。少なくとも、次の2つの改革にはすぐに取りかかるべきであろう。

第1は、二国間クレジット制度を拡張し、本格的に活用することである。

二国間クレジット制度（JCM：Joint Crediting Mechanism）は、日本が新興国に発電や製鉄、運輸など省エネとCO_2排出量削減に貢献する技術を移転させる仕組みだ。日本と技術移転先の国（パートナー国）とで政府間合意を結び、技術移転によるCO_2排出量削減分の一部を日本のCO_2排出量削減目標の達成に充当できるようにするのである。図4－7は、この制度の概要を説明したものである。2019年6月までに日本は、モンゴル、バングラデシュ、エチオピア、ケニア、モルディブ、ベトナム、ラオス、インドネシア、コスタリカ、パラオ、カンボジア、メキシコ、サウジアラビア、チリ、ミャンマー、タイ、フィリピンの17ヵ国のパートナー国とのあいだに、二国間クレジット制度を構築している。[8]

二国間クレジット制度が拡充された形で確立され、日本の石炭火力発電技術が海外で普及すれば、たとえ日本国内で石炭火力発電所が新増設され、若干CO_2排出量が増えたとしても、地球大で言えば、それを上回る規模のCO_2排出量の削減が進む。[9] つまり、日本国内での火力発電用燃料コストの抑制と、地球規模での温暖化防止策の進展とが、両立するわけである。3つのEのEnvironmentに当たる環境適合性に関して本当に問うべき問題が、このような方策をいかに実現するかにあることは、誰の目にも明らかである。

第2は、国内での一般供給向け石炭火力発電に対して、適切な水準のカーボンプライシングを実施することである。

カーボンプライシングとは、CO_2の排出に価格付けを行うことである。二国間クレジット制度が拡充されたとしても、肝心の石

図4-7　二国間クレジット制度（JCM）の概要

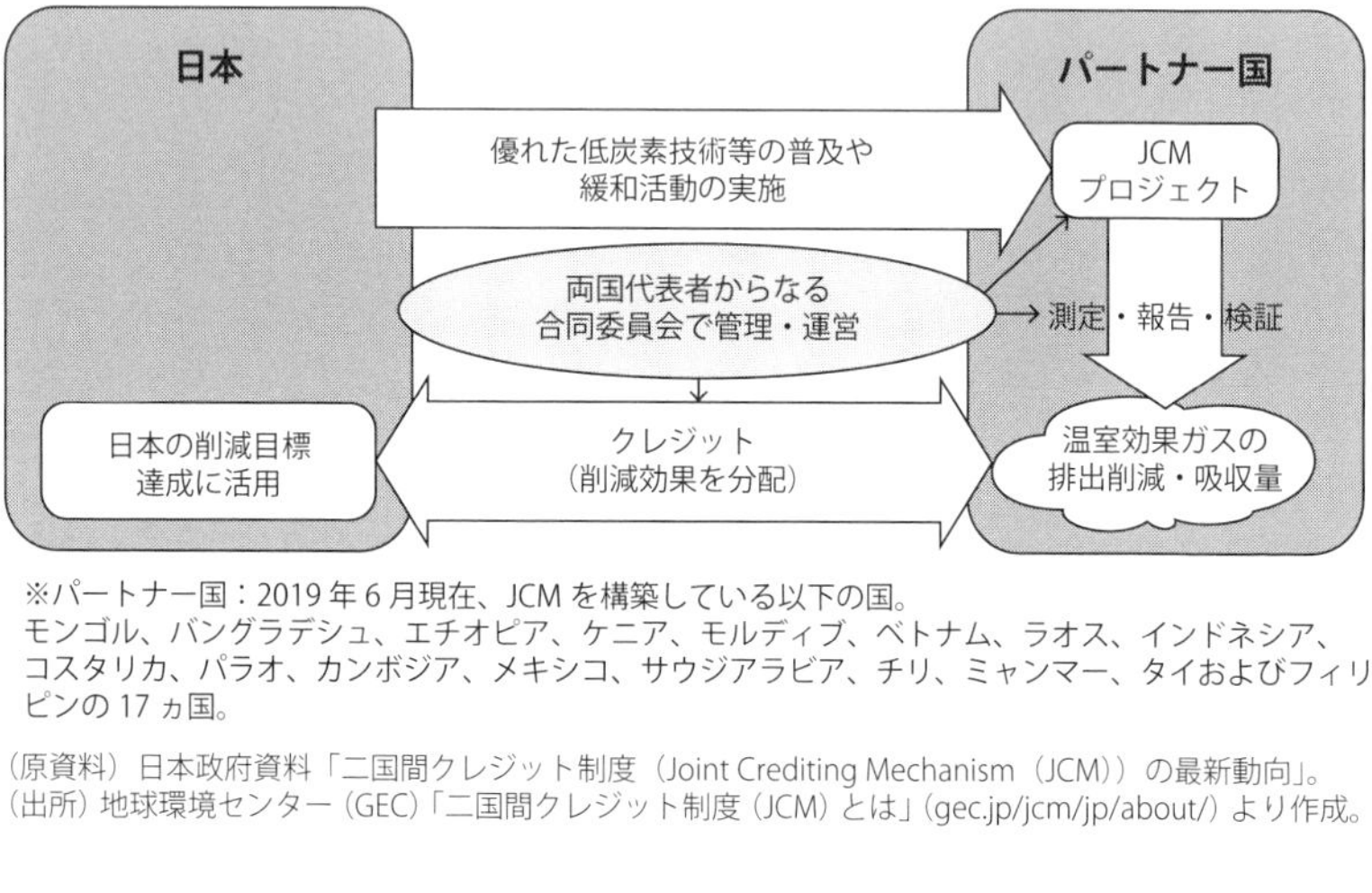

※パートナー国：2019年6月現在、JCMを構築している以下の国。
モンゴル、バングラデシュ、エチオピア、ケニア、モルディブ、ベトナム、ラオス、インドネシア、コスタリカ、パラオ、カンボジア、メキシコ、サウジアラビア、チリ、ミャンマー、タイおよびフィリピンの17ヵ国。

（原資料）日本政府資料「二国間クレジット制度（Joint Crediting Mechanism（JCM））の最新動向」。
（出所）地球環境センター（GEC）「二国間クレジット制度（JCM）とは」（gec.jp/jcm/jp/about/）より作成。

炭火力発電技術の海外移転が進まなければ、何ごとも始まらない。技術移転を促進するためには、何かしらのインセンティブが必要である。カーボンプライシングは、そのインセンティブになりうる。二国間クレジット制度を利用して海外で石炭火力発電所のCO_2排出量を減らした事業者は、その分だけ、カーボンプライシングによる負担を軽減することができるからである。いわば、「マイナスをマイナスする」メカニズムが作用することになり、カーボンプライシングの実施をきっかけとして、石炭火力発電技術の海外移転が進展するのである。

◉ 火力発電の技術革新

ここまで述べてきた日本の石炭火力発電技術の海外移転によるCO_2排出量の削減は、制度的要件さえクリアされれば、今すぐにでも取り組むことができる地球温暖化対策である。石炭火力発電をめぐっては、これとは別に、時間がかかるが、より本質的な意味をもつCO_2排出量削減策が存在する。石炭火力発電の一層の高効率化につながるIGCC（石炭ガス化複合発電）、IGFC（石炭ガス化燃料複合発電）などの実用化・社会的実装がそれである。図4-8は、その見通しをまとめたものである。

図4-8には、LNG（液化天然ガス）発電の技術開発の見通しもあわせて描かれている。LNG火力についても、一層の効率化につながる超高温ガスタービン複合発電（1700℃級GTCC）やガスタービン燃料電池複合発電（GTFC）の実用化がめざされているのである。

8　地球環境センター（GEC）「二国間クレジット制度（JCM）とは」（gec.jp/jcm/jp/about/）。
9　したがって日本政府は、高効率石炭火力技術を輸出して海外でCO_2排出量を大規模に減らした事業者にのみ、国内での石炭火力の建設を認めるという施策を講じるべきである。

◉天然ガスシフトに水差す第5次エネルギー基本計画

これまで石炭火力を取り上げてきたが、ここで、LNG火力に目を転じよう。

第4次エネルギー基本計画は、天然ガスについて、「今後、シェール革命により競争的に価格が決定されるようになっていくことなどを通じて、各分野における天然ガスシフトが進行する見通しであることから、その役割を拡大していく重要なエネルギー源である」[10]と述べ、「天然ガスシフト」という見方を打ち出した。第5

図 4-8　次世代火力発電技術の高効率化の見通し

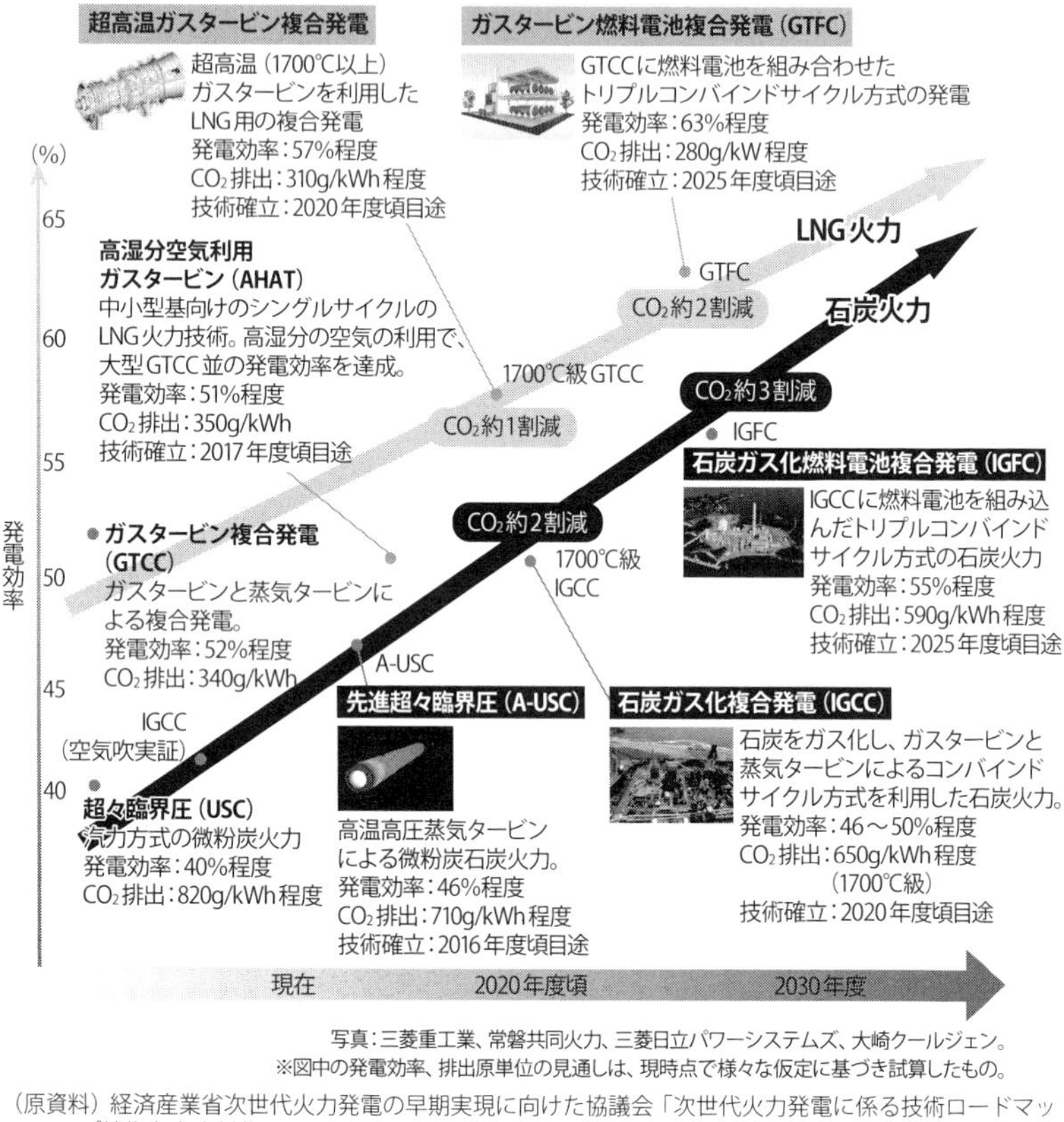

写真：三菱重工業、常磐共同火力、三菱日立パワーシステムズ、大崎クールジェン。
※図中の発電効率、排出原単位の見通しは、現時点で様々な仮定に基づき試算したもの。

（原資料）経済産業省次世代火力発電の早期実現に向けた協議会「次世代火力発電に係る技術ロードマップ技術参考資料集」2016年6月。
（出所）経済産業省資源エネルギー庁「さまざまなエネルギーの低炭素化に向けた取り組み」2018年2月8日より作成。

次エネルギー基本計画も、この表現をほぼそのままの形で踏襲し、天然ガスの長期的な重要性を改めて強調した。[11]

もちろん、この天然ガスシフトという見通しは正しい。問題は、第5次エネルギー基本計画が本当に天然ガスシフトを実現する内容になっているかである。残念ながら、この問いに対する答えは、否定的なものにならざるをえない。

天然ガスシフトの中心的な内容の1つは、LNG火力発電をミドル電源（需要の変動に合わせて出力をゆるやかに調整する電源）としてだけではなく、ベースロード電源（継続的に使用する電源）としても利用することにある。しかし、政府は、2015年に長期エネルギー需給見通しを決めた際にも、2018年に第5次エネルギー基本計画を閣議決定した際にも、LNG火力のベースロード電源への組入れを頑なに拒否した。原子力発電の比率が低下することをおそれたからである。その結果、2030年において天然ガスが一次エネルギー供給に占める比率は18％程度にとどめられ（前掲した図序-1参照）、LNGの総需要量見通しは年間6200万トンにおさえ込まれた。これは、2017年のLNG輸入量が8360万トンであったことを想起すれば、大幅な減退と言える。端的に言えば、第5次エネルギー基本計画は、天然ガスシフトを体現するものではけっしてなく、むしろそれに水を差すものなのである。

◉LNG火力のベースロード電源組入れ

2014年に第4次エネルギー基本計画を策定したときには、原油価格はまだ高く、LNG価格も高水準を維持

10 閣議決定『エネルギー基本計画』2014年4月、23頁。
11 閣議決定『エネルギー基本計画』2018年7月、20-21頁。

していた。しかし、２０１４年夏から原油価格は低落し、２０１５年にはＬＮＧ価格も下がって、今日にいたっている。その様子は、天然ガスに関する主要な価格指標の推移を示した図４－９から読み取ることができる。

もちろん、わが国のＬＮＧ輸入の多くは長期契約によるものであるから、スポット価格が下がったからといって、ただちに恩恵が生じるわけではない。しかし、ＬＮＧスポット価格の低下は、契約更改時の交渉などを通じて、長期契約ものＬＮＧの価格低下にも着実に反映されつつあることは、紛れもない事実である。

原子力発電所が９基しか再稼働していない現状で、わが国の中心的なベースロード電源となっているのは、ＬＮＧ火力である。しかし、現在でも政府は、電源構成において、ＬＮＧ火力をベースロード電源に組み入れることに反対している。原発依存度を維持したいというのが真の理由であろうが、２０１５年に長期エネルギー需給計画を策定した際には、「ＬＮＧは高い」という点をベースロード組入れに反対する理由としてあげた。この理由づけは、もはや通用しない。米国におけるシェールガス革命の進行もあって、ＬＮＧ価格は長期にわたって安定的に推移するという見通しが、支配的だからである。

図 4-9　天然ガスに関する主要な価格指標の推移（1991 ～ 2017 年）

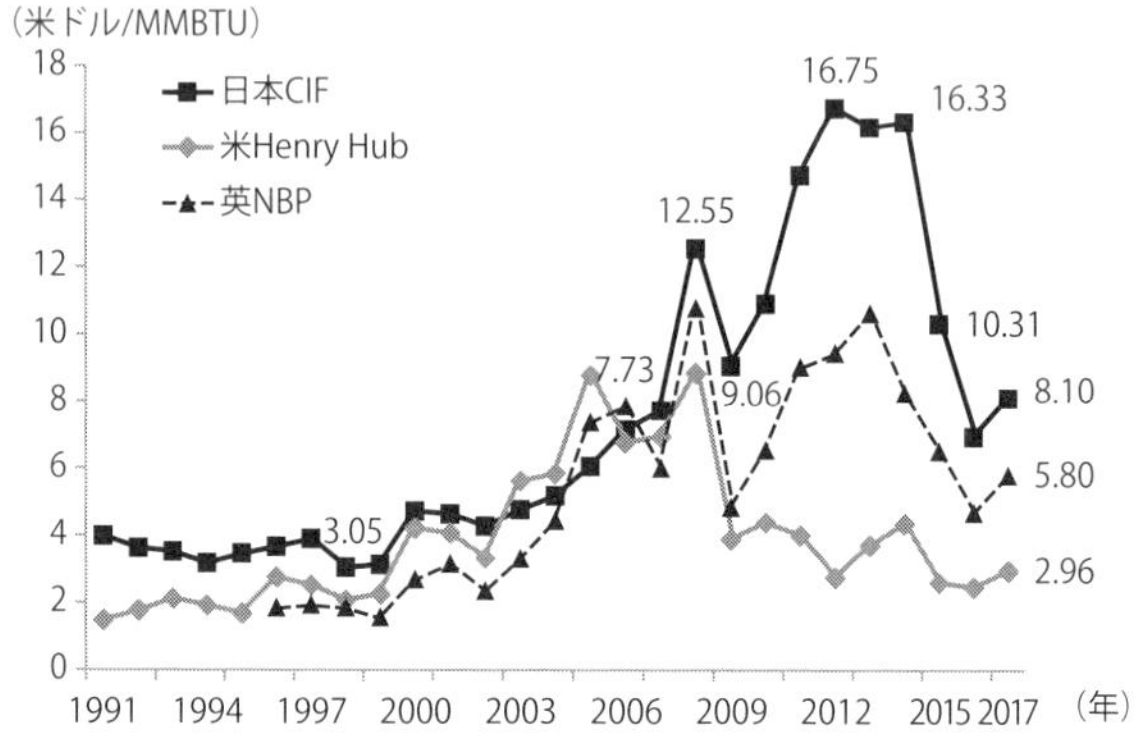

（原資料）BP, *Statical Review of World Energy 2018.*
（出所）経済産業省資源エネルギー庁『エネルギー白書 2019』186 頁。
（注）MMBTU は百万英国熱量単位。

図4-9において、天然ガスの主要価格指標のうち米国のHenry Hubが近年、独歩安で推移しているのは、シェールガス革命の影響を反映したものである。

――◉あるべき2030年の電源構成

LNG火力をベースロード電源に組み入れることには、別の面からも合理性がある。

図4-10は、太陽光発電の出力抑制が実施された2018年10月21日（日曜日）の九州エリアの電力需給実績を示したものである。この図が示唆するように、FIT（固定価格買取）制度によるメガソーラー発電の普及によって、ゴールデンウィークや秋の週末のような需要減退時で晴天の日には、ベースロード電源まで出力調整を迫られるようになった。

しかし、政府が想定するような原子力と石炭火力を中心とするベースロード電源では、出力調整が難しい。出力調整は不可能ではないが、それを行うと、原子力も石炭火力も、肝心の経済性が大きく後退する。これに対して、ミドル電源にもベースロード電源にも使えるLNG火力がベースロード電源に組み込まれていれば、出力調整は容易になる。

図4-10　九州エリアの電力需給実績と出力抑制の状況（2018年10月21日）

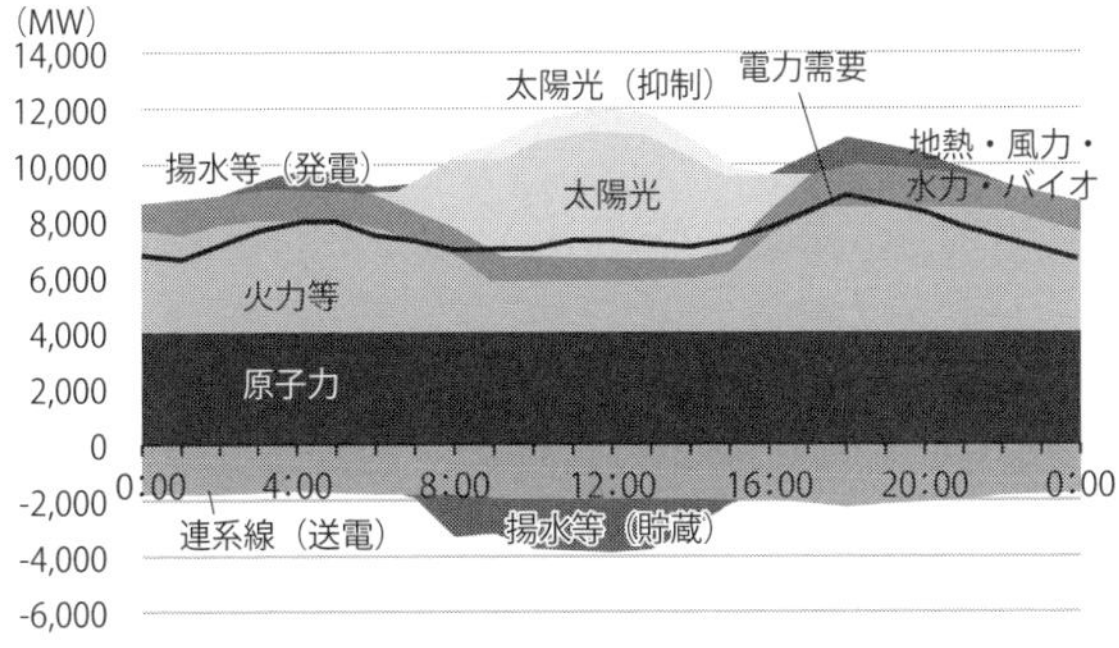

※太陽光発電の自家消費分は、「太陽光」には含まれず、「電力需要」の減少分として示されている。

（原資料）九州電力Webサイト。
（出所）経済産業省資源エネルギー庁『エネルギー白書2019』144頁。

以上のような新たな状況をきちんと認識して、ＬＮＧ火力をベースロード電源に組み入れることができるか。この点が、第５次エネルギー基本計画の策定に当たっての焦点の１つであった。しかし、今回もまた、ＬＮＧ火力のベースロード電源組入れは実現せず、結局、「天然ガスシフト」は掛け声倒れになってしまったのである。

ベースロード電源を原子力と石炭火力の両方で構成する時代は終わった。各電力会社は、原子力か石炭火力かの両者から、自社が得意とする方どちらかを選択し、それとＬＮＧ火力とを組み合わせてベースロード電源を構成する時代がやって来た。この点を図示すると、図4-11のようになる。

なお、再生可能エネルギー発電は、図4-11には登場しない。再生可能エネルギー発電は、ベースロード電源、ミドル電源、ピーク電源（需要の変動に合わせて出力を速やかに調整する電源）という概念には、いずれも合致しないからである。

ミドル電源として運用でき、出力調整能力が高いＬＮＧ火力をベースロード電源にも組み入れた方が賢明だという判断が、今後、電力会社のあいだに広がる可能性は高い。２０３０年の電源構成について、第５次エネルギー基本計画は「ＬＮＧ火力27％、石炭火力26％」としたが、本来であれば「ＬＮＧ火力33％、石炭火力19％」と改定すべきであった。

図4-11　日本国内の電源別発電の位置づけ

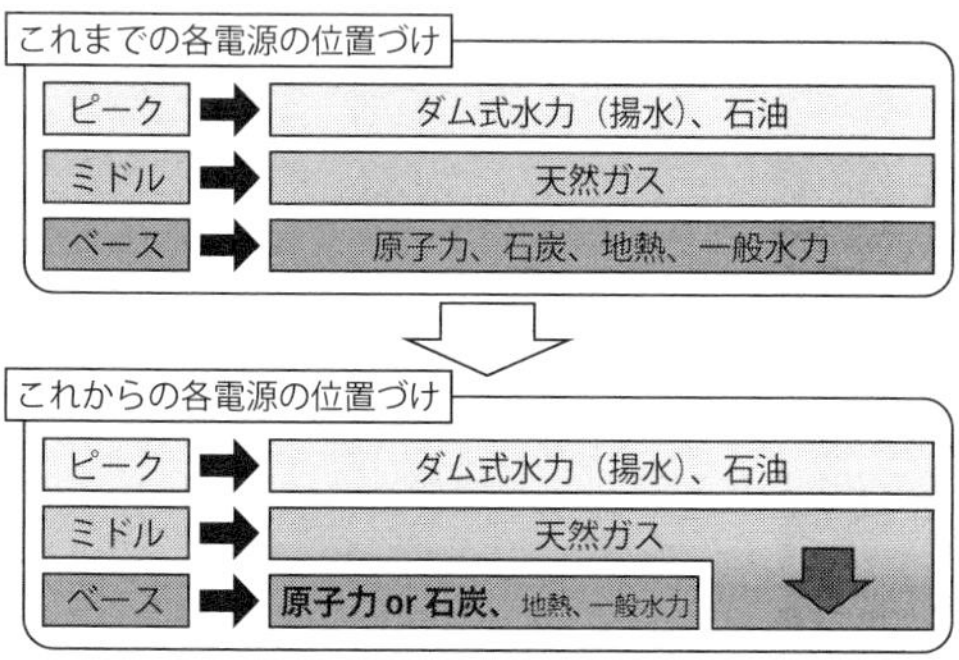

（出所）筆者作成。

すでに述べたように、2030年の電源構成は、政府方針の「原子力20～22％、再生可能エネルギー22～24％」ではなく、「原子力15％、再生可能エネルギー30％」とすべきである。図4-12にあるとおり、筆者が考える2030年のあるべき電源構成は、「原子力15％、再生可能エネルギー30％、LNG火力33％、石炭火力19％、石油火力3％」となる。

◉根本的な解決策としてのカーボンリサイクル

ここまで、主として2030年までを視野に入れて、火力発電の未来について論じてきた。視野をさらに2050年にまで広げよう。

2050年までを視野に入れるとき、改めて浮かび上がるのが、「長期エネルギー需給見通しと地球温暖化対策計画とは、実質的に矛盾している」という大問題である。わが国の高効率石炭火力発電技術を海外移転することは、両者間の矛盾を緩和するが、解消するわけではない。

この大問題に対する解決策を見出すうえでヒントを与えるのは、日本政府が2019年6月に閣議決定した『パリ協定

図 4-12　2030 年の日本のあるべき電源構成（筆者案）

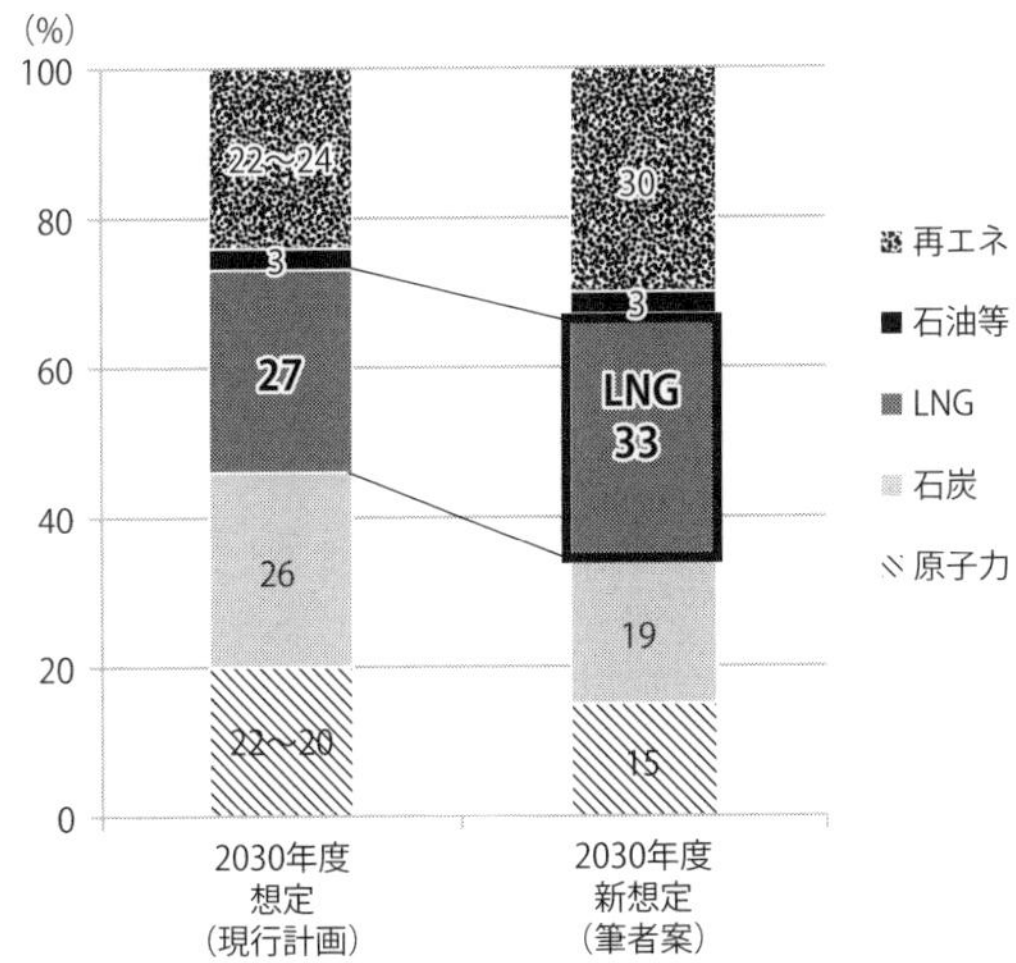

（出所）経済産業省「長期エネルギー需給見通し」2015 年 7 月と著者の見解により作成。

に基づく成長戦略としての長期戦略』[12]（以下では、適宜「長期戦略」と略す）である。パリ協定が結ばれた２０１５年のＣＯＰ21（国連気候変動枠組条約第21回締約国会議）で政府は、２０３０年までに国内の温室効果ガス排出量を26％削減することを打ち出した。「長期戦略」は、その先の２０５０年以降の方針を示したものである。

「長期戦略」のポイントは、以下の３点にまとめることができる。

(1) 温室効果ガス排出量を実質ゼロにする「脱炭素社会」を最終到達点として掲げ、それを21世紀後半のできるだけ早期に実現することをめざし、２０５０年までに温室効果ガスを80％削減することに取り組む。

(2) (1)のビジョンの達成に向けて、ビジネス主導の非連続なイノベーションを起こし、「環境と成長の好循環」の実現をめざす。

(3) そのために、エネルギー・産業・運輸・地域／くらし等の分野ごとに施策を講じるとともに、イノベーションの推進・グリーンファイナンスの推進・ビジネス主導の国際展開・国際協力等の横断的な方策も推進する。

これらのうちの(1)に盛り込まれた最終到達点として温室効果ガス排出量を実質ゼロにするという方針は、Ｇ７諸国（日本・米国・カナダ・英国・ドイツ・フランス・イタリア）のなかで日本が初めて明示したものである。その最終目標を実現するために、政府は、「カーボンリサイクル」という概念を前面に押し出した。

この考え方にもとづき、２０１９年６月、経産省は、内閣府・文部科学省・環境省の協力を得て、『カーボンリサイクル技術ロードマップ』[13]を策定・発表した。この「ロードマップ」によれば、カーボンリサイクルとは、二酸化炭素（CO_2）を資源としてとらえ、これを分離・回収し、鉱物化や人工光合成、メタネーションにより素材や燃料として再利用するとともに、大気中へのCO_2排出を抑制していく方策である。

この「ロードマップ」の策定に先立って、2019年2月、経産省は、資源エネルギー庁にカーボンリサイクル室を設置した。同室の発足を伝えたニュースリリース（2019年2月1日発信）[14]のなかで、経産省は、次のように述べている。

「2050年に向けて化石燃料の利用に伴うCO_2の排出を大幅に削減していくためには、あらゆる技術的な選択肢を追求していく必要があります。CO_2の分離・回収や利用に係る技術は、将来、有望な選択肢の1つであり、そのイノベーションが重要です。

こうした観点から、CO_2の分離・回収の効率化、燃料や素材としての再利用、植物工場での活用などを通じ、CO_2が資源として認識され、経済合理的に大気へのCO_2排出を抑制する一連の流れをカーボンリサイクルとし、これらを実現するために必要なイノベーションを効果的に推進していくため、資源エネルギー庁長官官房にカーボンリサイクル室を設置します」。

この文章からわかるように、カーボンリサイクルは、「パリ協定に基づく成長戦略としての長期戦略」に盛り込まれた「2050年までに温室効果ガスを80%削減する」目標を達成するうえで、きわめて重要な意味をもつ。カーボンリサイクルが完全に実施されれば、CO_2は資源として再利用されるため、火力発電を含む化石燃料の使用によって生じるCO_2の排出は、問題でなくなる。長期エネルギー需給見通しと地球温暖化対策計画とのあいだの矛

12 閣議決定『パリ協定に基づく成長戦略としての長期戦略』2019年6月11日。
13 経済産業省・内閣府・文部科学省・環境省『カーボンリサイクル技術ロードマップ』2019年6月。
14 経済産業省ニュースリリース「資源エネルギー庁にカーボンリサイクル室を設置します」2019年2月1日（https://www.meti.go.jp/press/2018/02/20190201003/20190201003.html）。

盾そのものが、解消するのである。

◉カーボンリサイクルの本格的普及は2050年以降

図4-13は、カーボンリサイクルとCCUSとの関係を示したものである。CCUSとは、CO_2を回収して貯留するCCSと、回収したCO_2を利用するCCU（Carbon dioxide Capture and Utilization）とを合わせた用語である。

この図が示すとおり、回収したCO_2を利用すればCCU、貯留すればCCSとなる。CCSと結びつければ経済的メリットが生じるEOR（Enhanced Oil Recovery：石油増進回収法）も、CCUの1つの形態だととらえることができる。溶接やドライアイスなどのようにCO_2を直接利用することも、CCUの一形態である。そしてカーボンリサイクルは、

図4-13　カーボンリサイクルとCCUSとの関係

- カーボンリサイクル：CO_2を資源として捉え、これを分離・回収し、鉱物化や人工光合成、メタネーションによる素材や燃料への再利用等とともに、大気中へのCO_2排出を抑制していく。
- カーボンリサイクルは、CO_2の利用（Utilization）について、世界の産学官連携の下で研究開発を進め、非連続的イノベーションを進める取り組み。
- 省エネルギー、再生可能エネルギー、CCSなどとともにカーボンリサイクルは鍵となる取り組みの1つ。

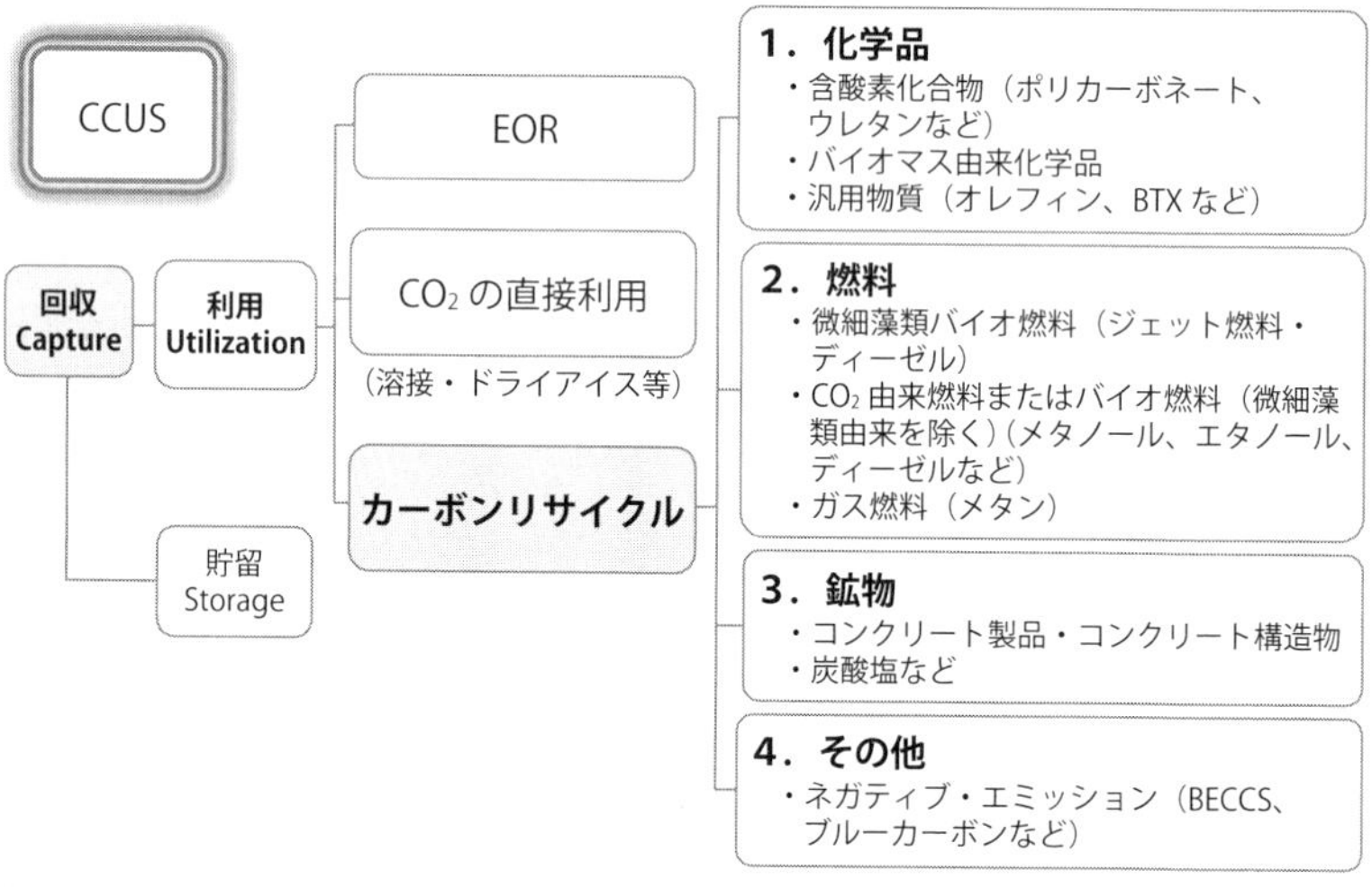

（出所）経済産業省資源エネルギー庁『昨今のエネルギーを巡る動向とエネルギー転換・脱炭素化に向けた政策の進捗』79頁。

EORやCO_2直接利用と並ぶCCUの一形態であり、将来的にはCCUの中心的な柱になると見込まれる。カーボンリサイクルの利用形態は、化学品、燃料、鉱物、その他に区分できる。

ただし、ここで見落としてはならない点は、カーボンリサイクルが本格的に普及するのは、2050年以降の時期だということである。この点については、『カーボンリサイクル技術ロードマップ』自身が認めている。図4-14にあるように、同ロードマップは、カーボンリサイクルの社会的実装が2030年ごろに始まり、それが本格化するのは2050年以降だと見込んでいるのである。

——◉避けて通ることができないCCSの進め方

カーボンリサイクルの社会的実装が本格化

図 4-14 『カーボンリサイクル技術ロードマップ』の概要

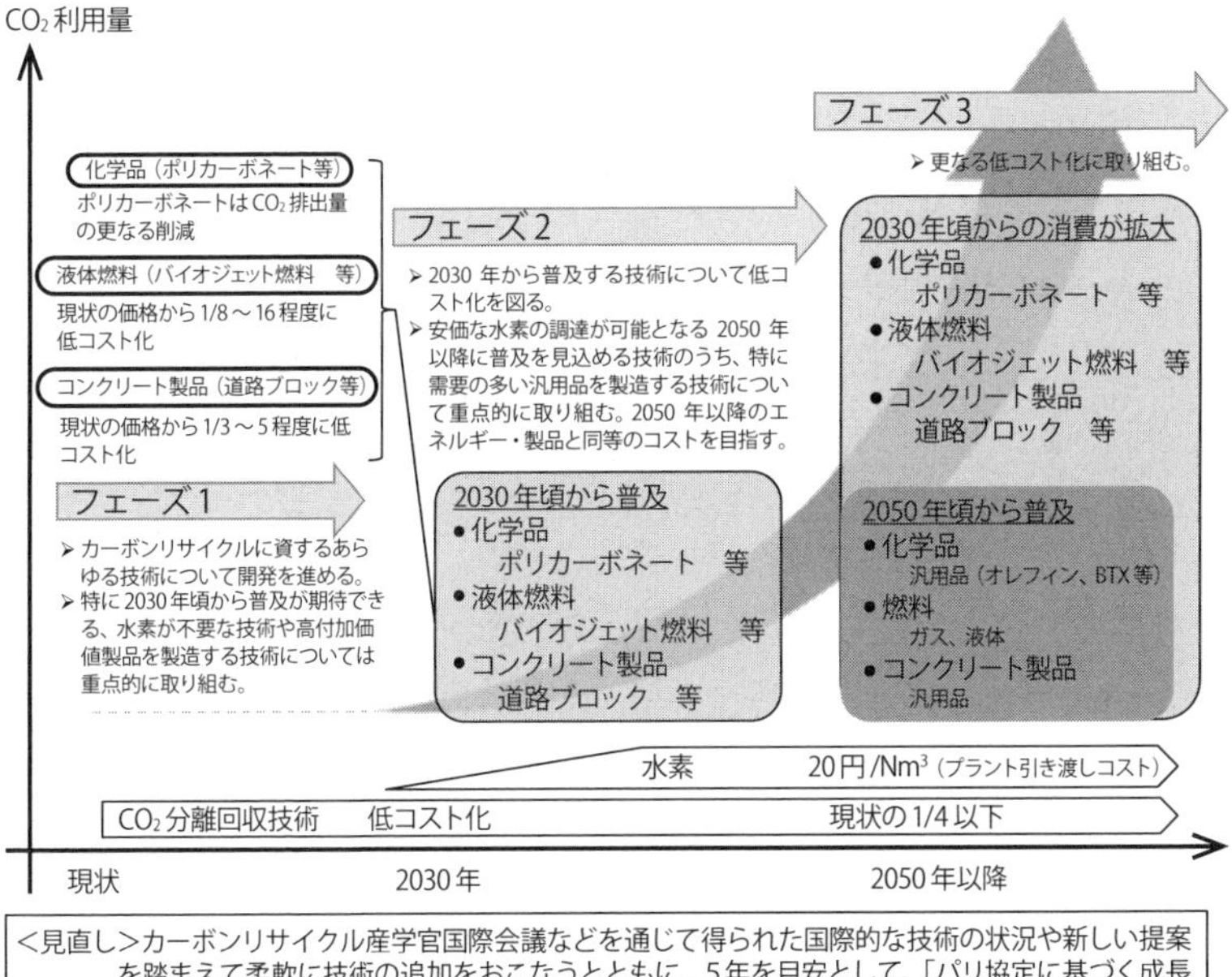

＜見直し＞カーボンリサイクル産学官国際会議などを通じて得られた国際的な技術の状況や新しい提案を踏まえて柔軟に技術の追加をおこなうとともに、5年を目安として、「パリ協定に基づく成長戦略としての長期戦略（仮称）（案）」の改訂等の動きを見つつ、必要に応じて見直す。

（出所）経済産業省資源エネルギー庁『昨今のエネルギーを巡る動向とエネルギー転換・脱炭素化に向けた政策の進捗』43頁。

するのが２０５０年以降だとすれば、「２０５０年までに温室効果ガスを80%削減する」という政府方針を実現するためには、他の方策を講じる必要が生じる。図4-13によれば、ＣＣＵＳ中の他の方策は、ＣＣＳ、ＥＯＲ、CO_2の直接利用ということになるが、これらのうちCO_2の直接利用には量的な限界がある。ＣＣＳとＥＯＲが中心的な方策となるが、ＥＯＲはＣＣＳと結びつけて実施することができる。

つまり、２０５０年までに温室効果ガス（その大半はCO_2）を80%削減することを達成するためには、ＣＣＳの本格的な遂行が必要不可欠となる。ここで強調したいのは、そのＣＣＳが、「パリ協定に基づく成長戦略としての長期戦略」（「長期戦略」）の目標達成のためだけでなく、電力業・都市ガス産業・石油産業などCO_2の排出をともなうエネルギー産業の長期的な事業継続のためにも欠くべからざるものだという点である。

ＣＣＳに関しては、CO_2を回収する技術の開発が進んでいる一方で、日本国内に貯留の適地が少ないことが問題になる。この問題を克服しようと、海外においてＣＣＳに取り組む動きが始まっている。

川崎重工業が事業化をめざしている褐炭由来のCO_2フリー水素チェーンのプロジェクトが、それである[15]。褐炭由来のCO_2フリー水素チェーンとは、オーストラリアのビクトリア州で褐炭ガス化水素製造装置を稼働させ、現地でＣＣＳを行うとともに、積荷基地から水素を専用の水素輸送船で日本の揚荷基地に運搬し、わが国において水素発電、水素自動車などの形で活用しようとするものである。この水素チェーンが実現すれば、ＣＣＳの本格的実施と水素利用の活発化によって、地球環境の維持に大きく貢献することになるが、効果はそれだけにとどまらない。オーストラリアにとっては（とくに同国内のニューサウスウェールズ州やクイーンズランド州に比べて高品位炭に恵まれていないビクトリア州にとっては）、褐炭ガス化水素製造装置から副生されるアンモニアや尿素を活用して化学工業や肥料製造業を振興させることができれば、念願の褐炭（低品位炭）の有効利用を達成することができる。一方、日本にとっては、「二国間クレジット制度」を拡張した方式で、CCSに協力し国内で水素発電を行う事業者には、同時に最新鋭石炭火力発電所の新増設をある程度認めるというシステム（以下では、「拡張版二国間クレジット方式」と呼ぶ）を導入するならば、日本経済にとって大きな脅威となりうる発電用燃料コストの膨張を抑制することができる。このように褐炭由来CO_2フリー水素チェーンの構築は、二重三重に有意義なプロジェクトなのである。

このような経緯からCCSは、従来、石炭利用の未来と結びつけられて論じられることが多かった。しかし実際には、CCSは、石炭利用のみならず天然ガス利用の未来とも、深くかかわりあっている。石炭に比べれば天然ガスは、使用時に排出する熱量当たりのCO_2排出量が少ないが、それでも、天然ガス利用によってCO_2が排出されること自体は、厳然たる事実であるからだ。

2050年までに温室効果ガス排出量の80％削減が実現されるとするならば、例えば天然ガスを生業とする都市ガス産業も、CO_2を排出しない「ゼロエミッション」に近い形で、ビジネスを展開していることになる。天然ガスを使う限りリアルな「ゼロエミッション」を達成することは不可能であるから、都市ガス産業は、バーチャルな「ゼロエミッション」を実施していることになる。バーチャルな「ゼロエミッション」のカギを握るのは、CCSである。

バーチャルな「ゼロエミッション」とは、具体的には、⑴日本の都市ガス事業者が海外でCCSプロジェクトに積極的に参画する、⑵それを通じて「拡張版二国間クレジット方式」によりCO_2排出量削減のクレジットを獲得する、⑶獲得したクレジットを費消しつつ日本国内でガス事業に従事する、という手順を踏む。

CCSの円滑な遂行には、一連の技術革新を実現して、コストを削減する必要がある。それだけでなく、「拡張

15　以下の記述については、橘川武郎「CO_2フリー水素チェーン」『電気新聞』2013年7月17日付参照。

版二国間クレジット方式」という制度上の革新も求められる。技術・制度両面でのイノベーションが、CCSの普及の前提条件となるのである。

◉ CCSとEORとの結合

20世紀後半の日本において、「長期戦略」が掲げるとおり最終到達点として「脱炭素社会」が実現されるとすれば、都市ガス業界を含むエネルギー業界も、CCSに取り組まない限り、事業を継続することができない。しかし、CCSは克服しなければならない様々な問題を抱えており、容易に推進できるわけではない。

主としてコストの問題が障壁となって、ヨーロッパでは、最近、CCSプロジェクトは下火だと聞く。しかし、米国やカナダ・ブラジルではEOR（石油増進回収法）と結合したCCSが活発に行われているし、ノルウェーやオーストラリアでは炭素規制を念頭においたCCS案件が動いている（ないし間もなく動き出そうとしている）。

ここで、注目されるのは、EORと結合したCCSプロジェクトである。その理由は、プロジェクト全体に経済的メリットがあり、CCSの最大の弱点であるコスト問題が解決される可能性がある点に求めることができる。

CCSは、CO_2を回収して海底や地底などに貯留するものであり、火力発電所等の地球温暖化対策の切り札とされるものである。EORは、産出量が減衰した油田にCO_2や水を注入して、産出量を回復させる方法である。CCSの経済性を確保するためには、EORと結びつけCCS&EOR方式をとることが効果的である。

米国テキサス州トンプソンズでは、ペトラ・ノヴァ・パリッシュ社のCCS&EOR施設が稼働している[16]。同社は、米国のNRGと日本のJX石油開発が折半出資して設立した合弁会社だ。

ペトラ・ノヴァ・パリッシュ社の施設は、大手電力会社であるNRG社のW・A・パリッシュ火力発電所（石炭

250万kW＋ピーク対応用ガス120万kW）の敷地内に立地する。同発電所は、化石燃料焚き発電所としては北米第2の発電能力を有する。ペトラ・ノヴァ・パリッシュ社は2016年に操業を開始し、W・A・パリッシュ発電所のなかで唯一スクラバー（排ガス洗浄装置）を擁する8号機（石炭焚き、64万kW）の排ガス（24万kW相当分）からCO_2を回収する。CO_2濃度を13％から99％まで上昇させるこのCO_2回収装置は世界最大規模であり、年間のCO_2回収規模は160万トンに達する。

ペトラ・ノヴァ・パリッシュ社が回収したCO_2は、パイプラインで81マイル先のウエストランチ油田へ輸送され、EORに充当される。ウエストランチ油田は1938年に発見され、これまでに3億バレルの原油を生産してきたテキサス湾岸でも有名な油田である。2017年のEOR実施以前は原油生産量が日量300バレル程度まで減衰していたが、EORにより2019年3月時点で15～20倍の日量4500～6000バレルまで増加した。圧入したCO_2は10～30％が地下に留まる一方、残りは原油とともに産出する。地上に戻ってきたCO_2については生産プラント内のコンプレッサーで圧縮してEOR用に再圧入するが、同コンプレッサーのキャパシティが原油生産の制約要因となっており、原油と一緒に産出するCO_2をいかに抑えるかが、原油生産量を増やすためのキーポイントとなると言われている。

このようにCCS&EOR方式をとる場合でも、現状では克服しなければならない技術的課題が残っており、経済的メリットも十分だとは言えない。しかし、これらの問題は、長期的には解決される可能性が高い。

21世紀後半になって「脱炭素社会」が到来すると、日本の都市ガス事業者を含むエネルギー事業者は、事業継続

16　以下の記述については、橘川武郎「アンモニアの可能性　CO_2回収・利用との結合」『ガスエネルギー新聞』2019年2月11日付参照。

が困難になる。そのような状況下では、すでに述べたように、⑴海外でCCSプロジェクトに積極的に参画する、⑵それを通じて「拡張版二国間クレジット方式」によりCO_2排出量削減のクレジットを獲得する、⑶獲得したクレジットを費消しつつ日本国内でガス事業に従事する、という手順を踏むバーチャルな「ゼロエミッション」を実現することが、事業継続の条件となる。日本の都市ガス事業者は、海外でのCCS&EORプロジェクトへの参画を、真剣に検討すべきであろう。

◉火力発電の未来

本章では、火力発電について詳しく検討した。日本における火力発電の未来は、2030年までの中期、2050年までの長期、2050年以降の超長期、の3つに分けて展望することができる。

2030年までの時期には、LNG火力発電がベースロード電源にも組み込まれ、中心的な電源として活躍する。地球温暖化対策としては、高効率石炭火力発電技術の海外移転が、大きな意味をもつ。

2030~50年の時期には、再生可能エネルギーの主力電源化にともない、火力発電の役割は従来よりも後退する。ただし、海外でのEORと結びついたCCSにコミットすることによって、国内でも火力発電事業は継続する。

2050年以降は、CCUが成果をあげない限り、国内での火力発電事業の継続は見通しが立たなくなる。その場合も、海外でのCCS&EORへの参画によりある程度の事業継続は可能であろうが、減退傾向をたどることは否めないであろう。

第5章 水素への期待
エネルギー構造全体を変える可能性

ここまで、再生可能エネルギー発電、原子力発電、火力発電の未来について検討してきたが、最後にこの章では、最近注目を集める水素とアンモニアに光を当てる。水素とアンモニアは、エネルギー全般の今後のあり方に影響を及ぼす可能性がある。

◉水素への高い評価

「第5次エネルギー基本計画」は、2017年に再生可能エネルギー・水素等関係閣僚会議が決定した「水素基本戦略」[1]をふまえて、燃料電池と水素の利用を促進する方針を打ち出した。[2]「第5次エネルギー基本計画」に先行する2014年策定の「第4次エネルギー基本計画」は、水素について、「将来の二次エネルギーの中心的役割を

1 再生可能エネルギー・水素等関係閣僚会議『水素基本戦略』2017年12月26日。
2 閣議決定『エネルギー基本計画』2018年7月、62-65頁。

担うことが期待される」[3]と述べ、きわめて高い評価を与えた。これを受けて2014年中に、資源エネルギー庁省エネルギー・新エネルギー部燃料電池推進室が事務局をつとめた水素・燃料電池戦略協議会が、「水素・燃料電池戦略ロードマップ」[4]をとりまとめた。同じ2014年には、東京都が、2020年の東京オリンピック・パラリンピックを水素社会実現へ向けた大きなステップとする方針を打ち出し、具体的な施策と予算措置を発表した。[5]それに相前後して、ホンダとトヨタが燃料電池自動車の市場投入を決め、岩谷産業とJX日鉱日石エネルギーが水素ステーションでの水素販売価格を公表した。水素エネルギー活用へ向けての動きが、一挙に活発化したのである。

このように2014年は、水素エネルギー活用へ向けて、「山が動き始めた」年になった。それから3～4年を経て公表された「水素基本戦略」と「第5次エネルギー基本計画」は、「山が動き始めた」水素エネルギー活用への流れに拍車をかけようとしたものだと言える。

◉水素活用の意義と課題

ここまで、水素活用に向けた国レベルの方針について概観してきたが、そもそも水素活用には、どのような意義があるのだろうか。それは、次の5点にまとめることができる。

第1は、水素が、使用時に二酸化炭素を排出しない、地球にやさしいエネルギー源だという点である。ただし、これはあくまで使用時に限ってのことであって、製造時に化石燃料を使用すれば、水素のこのメリットは損なわれる。したがって、水素の環境特性がフルに発揮されるのは、再生可能エネルギーを使って水素を製造した場合だということになる。

第2は、水素を燃料電池として使う場合、電気化学反応で電気を発生させるためエネルギー効率がきわめて高く、省エネの切り札となる点である。一般電気事業者による通常の発電の場合には、おおまかに言って、約6割のエネルギーが無駄になる。燃料電池による発電は、このエネルギーロスを大幅に解消する。また、家庭用・ビル用の定置型燃料電池は、熱と電気をあわせて供給するため、この面でも、省エネ効果が大きい。

第3は、燃料電池自動車や定置型燃料電池が、直下型地震等の有事の際に緊急のエネルギー供給源となり、いのちと暮らしを守る武器となる点である。燃料電池の普及は、防災機能を向上させることにつながる。

第4は、水素は、いろいろな方法で作ることができ、エネルギー源としてだけでなくエネルギーの運搬手段としても使うことができるため、他のエネルギー源と組み合わせれば、他のエネルギー源の弱点を補い、それらのメリットを引き出す役割をはたしうる点である。ある意味では、この「エネルギー構造全体を変えるポテンシャル」こそ、水素活用の最大の魅力だと言える。

第5は、水素利用技術に関してわが国は世界をリードしており、水素活用が進めば、日本経済全体の活性化と雇用の拡大に貢献できる点である。燃料電池関連技術の国別特許出願数の点で世界トップを占めるのはわが国であり、第2位以下を大きく引き離している。水素タンクの製造に関しても、日本メーカーの競争力は高い。水素利用分野は、地熱発電分野などとともに、わが国企業が競争優位を確保しているのである。

ただし、水素活用にはいくつかの課題が残されていることも事実である。

最大の課題は、コストを切り下げることである。どんなに素晴らしいエネルギー源でもコストが高い限り、普及

3 閣議決定『エネルギー基本計画』2014年4月、60頁。
4 水素・燃料電池戦略協議会『水素・燃料電池戦略ロードマップ〜水素社会の実現に向けた取組の加速〜』2014年6月23日。
5 東京都環境局「水素社会の実現に向けた東京戦略会議」2018年2月9日(www.kankyo.metro.tokyo.jp/climate/hydrogen/kaigi/html)。

にはいたらない。コスト低減の王道は技術革新であるが、それ以外にも、①コストが低い他のエネルギー源と組み合わせて水素を使い、水素のメリットを活かすようにして、全体としてのコスト・パフォーマンスを高める、②当面は相対的に低コストの副生水素（その生産過程では化石燃料を使用することが多い）を用いて水素供給インフラを整え、水素利用の量産効果を引き出してコストを低減させてから、再生可能エネルギー由来の「グリーン水素」の使用量を増大させる、などの工夫も必要であろう。

もう1つの課題は、住民が参加して地域ごとに水素社会をつくる仕組みを構築することである。そのためには、安全確保面や税金負担面などで住民の合意が形成されるようなプロセスが求められることは、言うまでもない。世界的にみても、分散型エネルギー供給に資する水素の活用は、地域ごとに進められることが多い。地域に立脚した水素社会づくりには、住民参加が不可欠の要素なのである。

現実的な課題としては、水素に関するサプライチェーンを一斉に立ち上げることが重要である。燃料電池自動車と水素ステーションとの間柄は、「鶏が先か卵が先か」というたとえで評されることが多かった。お互いに相手の普及が前提となるため、様子見となって、結果として前に進まない状況が続いたからである。しかし、最近では両者の間柄をたとえて、「花とミツバチ」という表現が使われるようになってきた。相互の共生関係を認識して、燃料電池自動車と水素ステーションとを「せーの」で同時に立ち上げようというのだ。わが国は、燃料電池の開発・利用の面では世界に先行しているが、水素インフラの整備の面では、まだまだ世界に立ち遅れている。水素に関するサプライチェーンを「せーの」で一斉に立ち上げるためには、国民的なイベントが絶好のチャンスとなる。開催が予定されている東京オリンピック・パラリンピックを水素活用社会実現へ向けた一大ステップとするという東京都のプランが社会的な注目を集めるようになったのは、このような事情が存在するからである。

◉欧州で盛んな「パワー・トゥ・ガス」

本項でとくに注目したいのは、上記の水素活用の「第4の意義」、つまり「エネルギー構造全体を変えるポテンシャル」である。筆者が最初にそれを実感できたのは、2015年1月にベルギーとイタリアで、水素活用にかかわる調査、見学を行う機会を得たときのことである。[6]

ベルギーのブリュッセルでは、水素と発電を関連づける事業として、最近、注目を集めつつある「パワー・トゥ・ガス」について、GERG（The European Gas Research Group）と欧州委員会の関係者からヒアリングを実施した。パワー・トゥ・ガスとは、主として再生可能エネルギー発電によって発生した余剰電力を使って、発電地点で水の電気分解を行い、発生した水素ガスを、天然ガスパイプラインに混入して消費地まで運び、そこで熱用、発電用等に充てるという方式である。GERGは、ガス関連のR&Dを促進し、EU（欧州連合）のガス産業を強化する目的で結成されたガス会社を中心とする民間団体である。一方、欧州委員会では、2014～20年の7年間に総額780億ユーロを投じて進められる巨大な研究開発イノベーション・プログラムである「Horizon20」について、情報提供を受けた。

Horizon20も、全体の予算の約1％に当たる7億ユーロを水素・燃料分野に充てている。主な研究テーマは、水素生産、発電施設、交通インフラ、市場展開などであり、そのなかには、パワー・トゥ・ガスも含まれる。パワー・トゥ・ガスの研究に熱心に取り組む点では、GERGも同じである。風力や太陽光などの再生可能エネルギーを利用した発電の導入が進み、一方で、場所によっては、送電網に比べて天然ガスパイプライン網の方が充実している欧州では、

6　以下の記述については、橘川武郎「欧州に見る水素発電の可能性」『電気新聞』2015年3月2日付参照。

パワー・トゥ・ガスは、「再生可能エネルギーと他のエネルギーとの統合」の重要な選択肢となるのである。

日本でもＦＩＴ（固定価格買取）制度によってメガソーラー発電のプロジェクトが相次いで立ち上がり、地域によっては、送電網の受入れ可能容量を超えてしまったことが、社会問題となっている。しかし、わが国の場合には、天然ガスの高圧パイプライン網は、国土の５％しかカバーしておらず、たとえメガソーラー発電所の近くで電気分解を行って水素ガスを生産しても、それを混入すべき天然ガスパイプラインが近くに存在しないケースが圧倒的に多い。その意味でパワー・トゥ・ガスは将来の課題と言わざるをえないが、それでも、パワー・トゥ・ガスが、再生可能エネルギーと天然ガスとを結びつける重要な選択肢であることは、まちがいない事実である。また、今後、原子力発電所の廃炉の進行にともない、代替的なベースロード電源としてＬＮＧ火力発電所の新設が進めば、天然ガスパイプライン網が一挙に拡充される可能性も、十分に存在する。

イタリア・ベネチア近郊のフジーナでは、Ｅｎｅｌの火力発電所で、水素発電装置の実機を見学した。同発電所では、隣接するＥｎｉの石油化学プラントから延べ４㎞に及ぶパイプラインを通じて水素の供給を受け、水素リッチガスによる実証発電を２００９～１０年に実施した。運転時間は２３００時間に及び、二酸化炭素や窒素酸化物の排出量の削減に大きな成果をあげたにもかかわらず、残念ながら実証発電は、欧州経済危機の影響を受けたＥＵおよびイタリア政府の資金難によって、２０１１年に打ち切られた。将来は、石炭のガス化と水素発電を結合しようとしていただけに、説明をしてくださった現地の技術責任者の方が、何度も悔しさをにじませていたのが、印象的であった。

筆者は、２０１７年８月にドイツ・ベルリンのパワー・トゥ・ガス関連の実証試験施設を見学した際にも、水素のエネルギー構造全体を変えるポテンシャルを改めて実感することができた。[7]

旧東ベルリンに位置するシェーネフェルト空港近くの現場では、マクフィー（Mcphy）・トタール（TOTAL）・リンデ（Linde）・2G（Kraft-Wärme-Kopplung）の各社が連携して、パワー・トゥ・ガス関連の実証試験を実施していた。マクフィーが水の電気分解による水素の製造、リンデが水素の貯蔵・圧縮とリフィリング、トタールが水素のリフィル・ステーション運営、2Gが水素製造過程で生じる熱の供給をそれぞれ担当し、リフィル・ステーションを通じて燃料電池車・燃料電池バスに供給していたのである。また、熱については、トタールのステーション内の洗車装置および敷地に隣接するバーガーキングのショップが、供給先となっていた。実証試験であるため電気は地元のグリッドから購入している、水素を付近のガスパイプラインに混入していない、当初予定されていたシェーネフェルト空港の拡張が遅れており現時点では「空港の水素化」が実現していない、などの限界はあるが、パワー・トゥ・ガスの基本的な仕組みを目の当たりにすることができた。

とくに、パワー・トゥ・ガスの根幹となる水電解装置（エレクトロライザー）を間近から観察できたことは、意義深かった。0・5MWの基本ユニットであったが、これを組み合わせることによって10MW用もまもなく稼働すると、マクフィー社の担当者は語っていた。

彼の解説によると、ヨーロッパでは、ドイツを中心にしてパワー・トゥ・ガスのプロジェクトが徐々に拡大しつつある。その多くは、送電線にのせることができなかった風力発電の余剰電力を水の電気分解（水素製造）用に使うことによって、経済性を高めている。さらに、排出権取引の対象となっている二酸化炭素を調達し水素と反応させてメタンガス（天然ガスの主成分）を製造すると、用途も広がって、経済性がさらに高まる可能性もあるそうだ。

エレクトロライザー自体は、風力発電の出力変動に迅速に対応できるとのことだ。ただし、エレクトロライザー

7　以下の記述については、橘川武郎「欧州天然ガス最前線　実証進むパワー・ツー・ガス」『ガスエネルギー新聞』2017年9月25日付参照。

の稼働率はまだ低く、それを高めることが水素製造のコストを下げるうえで重要だと聞いた。

◉エネルギー構造全体を変えるポテンシャル

水素は、日本のエネルギー構造全体を転換する可能性がある。水素活用の最大の魅力と言える「エネルギー構造全体を変えるポテンシャル」について、今一度光を当ててみたい

2014年策定の第4次エネルギー基本計画は、この点に関して、次のように述べている。

「水素の供給については、当面、副生水素の活用、天然ガスやナフサ等の化石燃料の改質等によって対応されることになるが、水素の本格的な利活用のためには、水素をより安価で大量に調達することが必要になる。

そのため、海外の未利用の褐炭や原油随伴ガスを水素化し、国内に輸送することや、さらに、将来的には国内外の太陽光、風力、バイオマス等の再生可能エネルギーを活用して水素を製造することなども重要となる。具体的には、水素輸送船や有機ハイドライド、アンモニア等の化学物質や液化水素への変換を含む先端技術等による水素の大量貯蔵・長距離輸送など、水素の製造から貯蔵・輸送に関わる技術開発等を今から着実に進めていく。また、太陽光を用いて水から水素を製造する光触媒技術・人工光合成などの中長期的な技術開発については、これらのエネルギー供給源としての位置付けや経済合理性等を総合的かつ不断に評価しつつ、技術開発を含めて必要な取組を行う[8]」。

第4次エネルギー基本計画の表現はややわかりにくいが、大まかに言えば、水素活用を拡大する1つのカギは、「コストが低い他のエネルギー源と組み合わせて水素を使い、水素のメリットを活かすようにして、全体としてのコスト・パフォーマンスを高める」ことにある。具体的には、どのような方法があるのだろうか。

「高いが環境特性に優れる」水素は、「安いが環境特性が劣る」石炭と組み合わせると、相互補完的な効果が発揮される。本書の第4章でCCS（二酸化炭素回収・貯留）に言及したときに取り上げた川崎重工業が事業化をめざしている褐炭由来のCO_2フリー水素チェーンのプロジェクトは、その具体的な事例の1つである。褐炭由来のCO_2フリー水素チェーンとは、オーストラリアのビクトリア州で褐炭ガス化水素製造装置を稼働させ、現地でCCSを行うとともに、積荷基地から水素を専用の水素輸送船で日本の揚荷基地に運搬し、わが国において水素発電、水素自動車などの形で活用しようとするものである。

水素は、石油や天然ガス、風力や太陽光と組み合わせることもできる。千代田化工建設が事業化をめざす「SPERA水素」プロジェクトは、その具体的な事例である。[9] SPERA（スペラ）とは、ラテン語で「希望せよ」という意味をもつ言葉だそうだが、同社は、油田・ガス田や炭鉱、大規模ウインドファームの近くに設置するプラントで生成した水素を、トルエンと反応させて運びやすい有機ハイドライドのMCH（メチルシクロヘキサン、常温・常圧では液体）に変え、それを日本などに運んで脱水素プラントにかけて水素にもどし利用する（その際、脱水素プラントで水素から分離されたトルエンは、水素化プラントへ移されて再利用される）構想を推進している。この構想のポイントは、MCH化することで「運びやすい水素」「貯めやすい水素」を実現した点にあり、この「使いやすい水素」を千代田化工建設は、「SPERA水素」と名づけている。「SPERA水素」が普及すれば、水素を活用したいという人類の希望は、文字どおりにかなうことになる。

8　閣議決定『エネルギー基本計画』2014年4月、61頁。
9　以下の記述については、橘川武郎「水素の最大の魅力とは　エネルギー構造全体を変える力」『ガスエネルギー新聞』2015年8月24日付参照。

千代田化工建設は、水素のMCH化を、第1ステップとして、産油国・産ガス国・産炭国の水素製造プラントと結びつけて実施しようとしている。その場合には、油田・ガス田・炭鉱で水素改質時に発生する二酸化炭素をその場で回収し、貯留すること（CCS）により、CO_2排出量を大幅に削減することが可能になる。また、油田においては、回収したCO_2を注入することによって、残留原油の増進回収（EOR）を行って、石油の増産につなげることもできる。

千代田化工建設が水素のMCH化の第2ステップとしてめざしているのは、風力発電・太陽光発電などで得た電気を用いて水の電気分解を行い、そこで製造した水素を「SPERA水素」として活用することである。風力発電や太陽光発電は、ほとんど二酸化炭素を排出しない電源として、地球温暖化対策の切り札的存在であるが、送電線を新たに敷設しなければならないケースが多く、それがコスト高につながって普及を遅らせているという泣き所をもつ。これに対して、上手に仕組みを作り上げることができれば、「SPERA水素」は、送電線に代わって、エネルギーを運搬する役割をはたすことになる。「SPERA水素」は、風力発電や太陽光発電の普及を促進するのである。

このように水素は、他のエネルギー源と組み合わせれば、他のエネルギー源の弱点を補い、それらのメリットを引き出す役割をはたしうる。繰り返しになるが、この「エネルギー構造全体を変えるポテンシャル」こそ、水素活用の最大の魅力なのである。

◉水素基本戦略と第5次エネルギー基本計画

2017年策定の水素基本戦略は、「水素の意義と重要性」として、次の6点をあげた[10]。

(1) 供給・調達先の多様化による調達・供給リスクの根本的低減

水素は、再生エネルギー（再エネ）を含む多様なエネルギー源からの製造・貯蔵・運搬が可能。特定のエネルギー源に依存しない多様な構造に変革。

(2) 電力、運輸、熱・産業プロセスのあらゆる分野での低炭素化

水素は利用時に二酸化炭素（CO_2）を排出しない。製造段階でのＣＣＳ（二酸化炭素回収・貯留）や再エネの活用により、トータルでCO_2フリーのエネルギー源に。

燃料または燃料電池との組合せにより、あらゆる分野での究極的な低炭素化が可能。

(3) ３Ｅ＋Ｓ（Environment＝環境適合、Energy Security＝エネルギー安全保障、Economy＝経済効率性向上、およびSafety＝安全性）からの意義

水素社会を実現することで、３Ｅ＋Ｓの達成をめざす。

(4) 世界に先駆けたイノベーションへの挑戦による国際社会に対する貢献

わが国の水素技術を海外展開し、世界の低炭素化を日本がリード。

(5) 産業振興・競争力強化

日本の水素・燃料電池技術は世界最高水準。国内外での積極展開により、新たな成長産業の１つに。

(6) 諸外国における水素の取組を先導

グローバルな動向を把握し、日本が世界レベルの水素社会実現のリーダーに。

そして、同戦略は、２０３０年までに達成する目標として、水素量30万トン、コスト30円／Nm^3（水素ステーション価格）、発電単価17円／kWh、ステーション９００箇所、ＦＣＶ（燃料電池自動車）80万台、ＦＣ（燃料電池）バス

10 再生可能エネルギー・水素等関係閣僚会議『水素基本戦略』7-16頁、再生可能エネルギー・水素等関係閣僚会議「水素基本戦略（概要）」２０１７年12月26日、０頁。

1200台、FCフォークリフト1万台、エネファーム530万台、などの数値を掲げた[11]。

「第5次エネルギー基本計画」は、この「水素基本戦略」の方針を踏襲し、それをオーソライズした。同基本計画は、「水素基本戦略」を実行に移すため、

―燃料電池の普及促進（エネファームの技術開発推進、業務・産業用の普及に向けた技術開発推進）
―モビリティにおける水素利用の加速（水素ステーション整備、FCV普及促進、必要な規制改革・技術開発の推進、バス・トラック・電車等への展開）
―国際的なサプライチェーンの構築による低廉化（海外の安価なエネルギー［褐炭＋CCS、再エネ］からの水素の大量調達、水素の製造・輸送・発電に係る技術開発推進）
―再生可能エネルギー由来の水素の利用拡大に向けたパワー・トゥ・ガス技術の開発の推進と地域資源の活用による地方創生
―東京五輪での水素社会のショーケース化（福島県で製造した再生可能エネルギー由来水素を東京で利用する実証プロジェクト、選手村や空港での水素利活用等）
―グローバルな水素利活用の実現に向けた国際連携強化

などの諸施策を明記した[12]。

◉「水素・燃料電池ロードマップ」が打ち出した3つのフェーズ

第5次エネルギー基本計画は、水素基本戦略の方針を踏襲しているだけでなく、水素・燃料電池戦略ロードマップの内容も踏襲している。水素・燃料電池戦略ロードマップは、第4次エネルギー基本計画が水素活用の重要性を強調した

ことを受けて、２０１４年にとりまとめられた。

同ロードマップは、その後２０１６年と２０１９年に改訂されたが[13]、その骨格は変わっていない。

図５‐１にあるとおり、２０１４年策定の「水素・燃料電池戦略ロードマップ」は、２０２５年ごろまでのフェーズⅠ、２０２０年代後半から２０３０年

11　再生可能エネルギー・水素等関係閣僚会議『水素基本戦略』17-28頁、再生可能エネルギー・水素等関係閣僚会議「水素基本戦略（概要）」、4頁。

12　閣議決定『エネルギー基本計画』2018年7月、62-65頁。

13　2019年の3月、「水素・燃料電池戦略ロードマップ」が改訂された。これは、2014年に初めて作られ、2016年に改訂されたこれまでのロードマップや、17年に発表された「水素基本戦略」などを新たな観点から見直し、発展させたものである。2019年版の「水素・燃料電池戦略ロードマップ」は、⑴基本技術のスペック・コスト内訳の目標など、めざすべきターゲットを新たに設定し、目標達成に向けて必要な取組みを明示した、⑵有識者による評価ワーキング・グループを設置し、分野ごとにフォローアップを実施することにした、という2つの特徴をもつ。全体としては、水素や燃料電池の本格的な社会的実装へ向けて、政府の前向きな姿勢を改めて表明したものと言える。以上の点については、水素・燃料電池戦略協議会『水素・燃料電池戦略ロードマップ〜水素社会の実現に向けた産学官のアクションプラン〜』2019年3月12日参照。

図 5-1　2014 年策定の「水素・燃料電池戦略ロードマップ」が示した 3 つのフェーズ

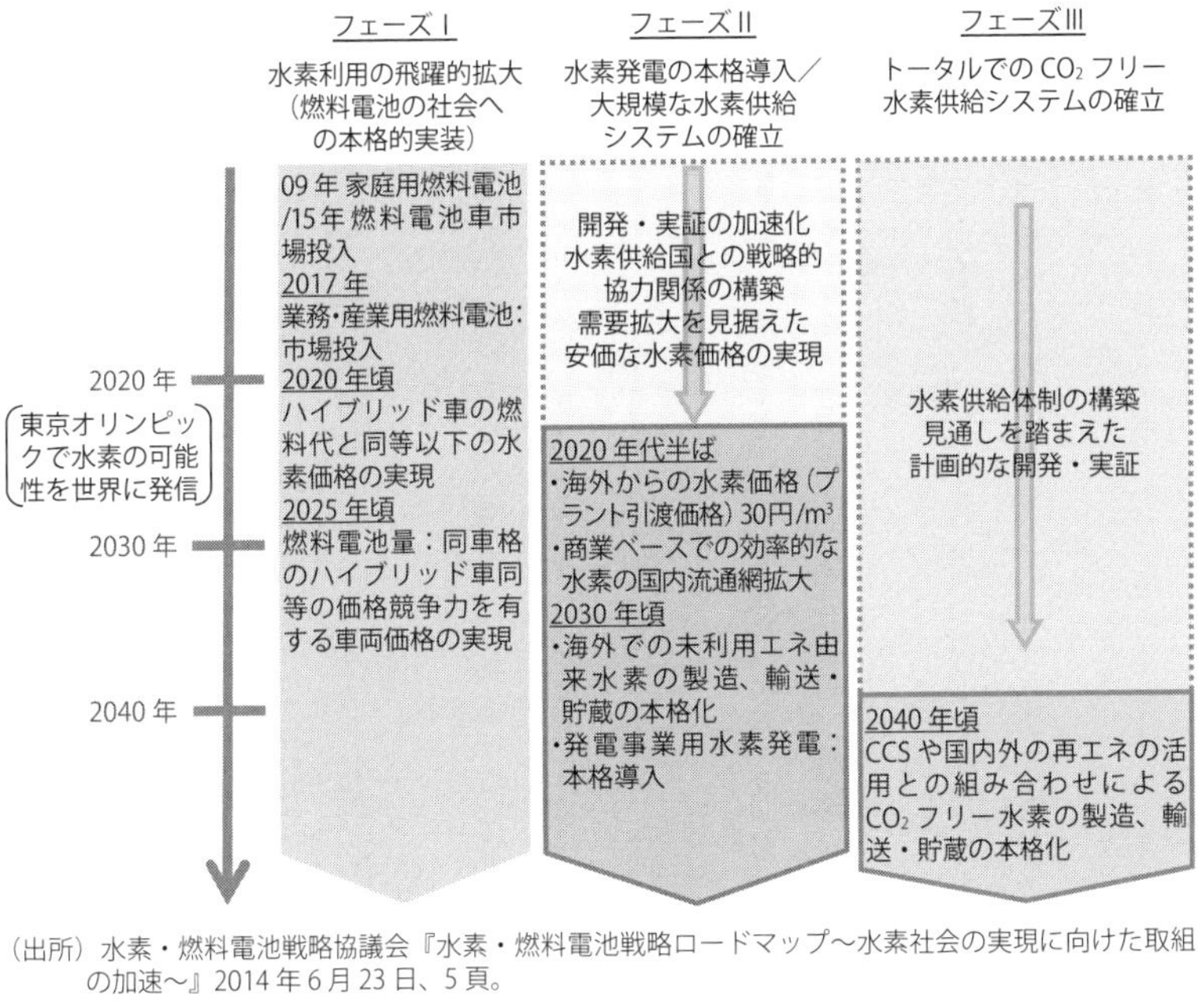

（出所）水素・燃料電池戦略協議会『水素・燃料電池戦略ロードマップ〜水素社会の実現に向けた取組の加速〜』2014 年 6 月 23 日、5 頁。

ごろにかけてのフェーズⅡ、2040年ごろへ向けたフェーズⅢの3段階に分けて、それぞれの到達目標を示している。この3つのフェーズに分けて水素活用に取り組むアプローチは、2016年、2019年のロードマップ改訂後も維持され、今日にいたっている。

フェーズⅠでは、「水素利用の飛躍的拡大（燃料電池の社会への本格的実装）」が課題となる。具体的には、家庭用燃料電池および燃料電池自動車の市場投入に続いて、業務用・産業用の燃料電池を市場投入する。2020年ごろにはハイブリッド車の燃料代と同等以下の水素価格を実現し、2025年ごろには同車格のハイブリッド車と同等の価格競争力を有する燃料電池車の車両価格を実現する。

フェーズⅡの課題は、「水素発電の本格導入」および「大規模な水素供給システムの確立」である。具体的には、2020年代半ばに海外からの水素価格（プラント引渡価格）を30円／N㎥とし、商業ベースでの効率的な水素の国内流通網を拡大する。そして2030年ごろには、海外での未利用エネルギー由来の水素の製造、輸送、貯蔵を本格化するとともに、発電事業用水素発電を本格導入する。

フェーズⅢでは、「トータルでのCO_2フリー水素供給システムの確立」が課題となる。具体的には、2040年ごろまでに、CCSや国内外の再生可能エネルギーとの組み合わせによるCO_2フリー水素の製造、輸送、貯蔵を本格化する。

以下では、これら3つのフェーズのうちフェーズⅠとフェーズⅡに焦点を絞り、「水素・燃料電池戦略ロードマップ」の実現可能性について検討する。ここでフェーズⅢを直接の分析対象から外すのは、フェーズⅢに関しては不確実な要素が多く、実現可能性を見通すことは現時点では困難だからである。

◉着実に進行するフェーズI：燃料電池の社会への実装

フェーズIの「燃料電池の社会への本格的実装」は、着実に進行している。
2019年3月に改訂された「水素・燃料電池戦略ロードマップ」は、燃料電池自動車と水素ステーションの普及状況について、次のように述べている。

「我が国では2014年12月に燃料電池自動車が初めて市場投入され、さらに2016年3月には2車種目も投入されるなど、世界で最も早く燃料電池自動車の市場展開が進んできており、FCV普及台数は2926台（2018年12月末時点）と世界トップクラスの水準となっている。

燃料電池自動車の普及に不可欠な水素ステーションについては、2013年度より商用ステーションの整備を開始し、2018年2月には民間11社により水素ステーションの整備を目的とした日本水素ステーションネットワーク合同会社（JHyM）が設立された。こうした中で、燃料電池自動車の普及想定等に基づく水素ステーションの最適配置シミュレーションの結果も踏まえつつ、多様なプレーヤーの参加により先行投資の負担を軽減しながら水素ステーションを効果的に設置していく取組が加速され、100箇所（2018年12月末時点）の商用水素ステーションが開所している」[14]。

一方、家庭用燃料電池の普及状況についても、同じ2019年版の「水素・燃料電池ロードマップ」は、「日本では2009年に世界に先駆けて家庭用燃料電池（エネファーム）が市場投入され、2019年1月末時点で約27・

14　水素・燃料電池戦略協議会『水素・燃料電池戦略ロードマップ〜水素社会の実現に向けた産学官のアクションプラン〜』19頁。

4万台が普及している。また、業務・産業部門についても、２０１７年から国内メーカーによる燃料電池（ＳＯＦＣ型）の本格市場投入が始まった。この他、純水素型燃料電池については、２０２０年東京オリンピック・パラリンピック競技大会の選手村での設置が検討されている[15]」と記述し、エネファームの普及状況を示した図5-２を掲げている。なお、図中に登場するＳＯＦＣ（Solid Oxide Fuel Cell）とは固体酸化物形燃料電池、ＰＥＦＣ（Polymer Electrolyte Fuel Cell）とは固体高分子形燃料電池のことである。

これらの普及実績と、２０３０年までに燃料電池自動車80万台、水素ステーション９００箇所、エネファーム５３０万台という数値目標とのあいだにはまだ距離があるが、目標達成は不可能なことではない。さきに「フェーズＩの『燃料電池の社会への本格的実装』は、着実に進行している」と述べたのは、このような事情をふまえたものである。

図 5-2　エネファームの普及状況（2000 ～ 18 年度）

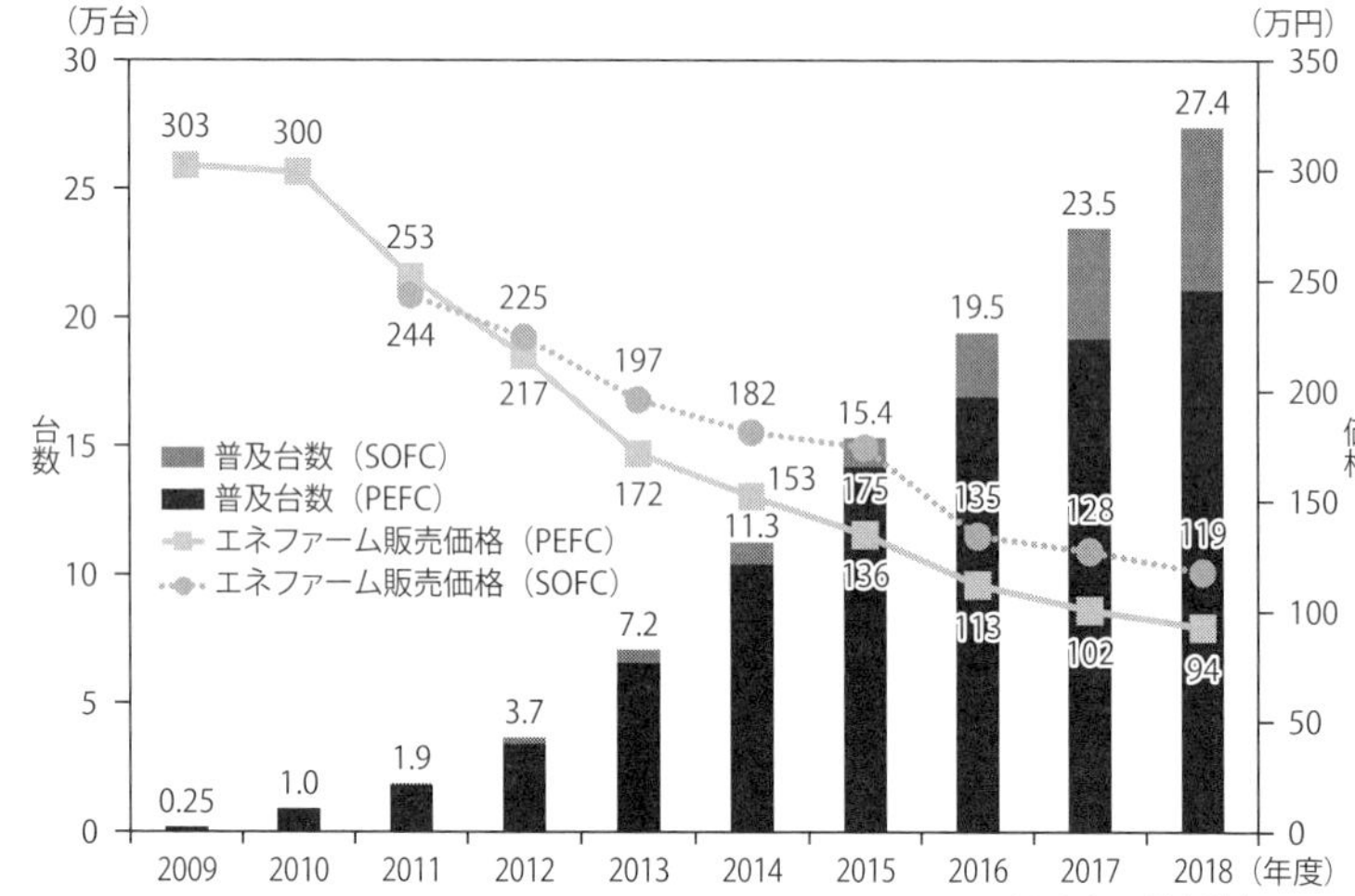

※2019 年 1 月末時点。

（原資料）経済産業省資源エネルギー庁作成。
（出所）水素・燃料電池戦略協議会『水素・燃料電池戦略ロードマップ～水素社会の実現に向けた産学官のアクションプラン～』2019 年 3 月 12 日、32 頁。
（注）2018 年度の数値は、2019 年 1 月末時点のもの。

◉実現の見通しが立たないフェーズⅡ：水素発電

問題は、フェーズⅡの「水素発電の本格導入」および「大規模な水素供給システムの確立」である。2019年版の「水素・燃料電池ロードマップ」でも再確認された2030年における家庭用燃料電池（エネファーム）530万台、FCV80万台という普及目標が達成されたとしても、同年の電源構成に占める水素の比率は2％程度、一次エネルギー構成に占める水素の比率は1％程度にとどまると言われる。この規模では、とても「水素社会の到来」とは言えない。水素社会の到来のためには、大規模に水素を使用する水素発電の普及が必要不可欠なわけであるが、その肝心の水素発電への取組みが進んでいない。それこそが、大問題なのである。

水素発電への取組みが停滞している最大の理由は、電力業界が総じて消極的な姿勢をとっている点に求めることができる。そこには、電力市場の自由化が進展しているなかで、現時点ではコストが高い水素発電には着手しにくいという、一般的な事情が存在する。しかし、電力業界には、それだけではかたづけられないいくつかの事情が存在する。

第1は、電力業界にとって水素発電は、低炭素化を実現するうえでの主要な施策にはなっていないという事情である。電力業界が「低炭素化実現の選択肢」として最も重視しているのは、あくまでも原子力発電である。次いで再生可能エネルギー発電も選択肢としてある程度視野に入れているが、水素発電についてはほとんど等閑視している。使用時にCO_2を排出しないという水素の特徴は、電力業界から見れば、それほど魅力的ではないのである。

15　水素・燃料電池戦略協議会『水素・燃料電池戦略ロードマップ～水素社会の実現に向けた産学官のアクションプラン～』32頁。

第2は、電力業界が水素混焼を、石炭火力発電の生き残り策として、あまり重視していないという事情である。低炭素化への社会的圧力が強まる状況下で石炭火力発電を継続していくためには、バイオマス混焼・アンモニア混焼・水素混焼などの措置を講じて、CO_2排出量を多少なりとも削減しなければならない。これらのうち電力業界が最も活用しているのはバイオマス混焼であり、アンモニア混焼についても実機での試験がすでに行われた。一方、石炭火力発電での水素混焼の動きは、今のところ、顕在化していない。

第3は、発電とは直接的な関係はないが、電力業界は水素を、再生可能エネルギー電源がもたらす余剰電力の調整手段としても、高く位置づけていないという事情である。再生可能エネルギー電源によって送電線に載せ切れない余剰電力が生じたとき、それを使って水の電気分解を行い、水素を得ることができる。つまり水素は、余剰電力の貯蔵・運搬手段になりうるわけである。しかし、電力業界が余剰電力の調整手段として重きをおいているのは、水素ではなく、蓄電池である。

これらの事情が重なって、電力業界は、水素発電に関して消極的な姿勢をとり続けている。そのため、「水素・燃料電池戦略ロードマップ」のフェーズⅡについては、実現の見通しが立っていないのである。

──◉アンモニアの可能性

ここで注目したいのは、日本の石炭火力発電所において、アンモニア混焼の実機試験がすでに行われたことである。2017年7月に中国電力が水島発電所2号機で行ったアンモニア混焼試験が、それである。中国電力は、試験の結果について「特に問題となる事項はなかった」とし、関連特許を出願したうえ、「さらに混焼率を上昇させる場合」もありうるとしている。[16]

石炭火力発電所でアンモニア混焼を行う動きは、他の電力会社にも広がろうとしている。2017年7月に国立研究開発法人科学技術振興機構（JST）が設立した「グリーンアンモニアコンソーシアム」に、中国電力・中部電力・東北電力・北海道電力の各社がメンバー企業として参加していることは、その可能性を示唆している。同コンソーシアムは、「アンモニアの直接利用分野だけでなく、CO_2フリー燃料としてのアンモニアの供給から利用までのバリューチェーン形成に向けて、研究開発ならびに社会実装に向けた取り組み」を進めることを、目的としている。[17]

アンモニアについては、2017年に策定された水素基本戦略において、エネルギーキャリアとしての活用が謳われている。アンモニアには、①他の水素キャリアと比較して体積水素密度が大きい、インフラ整備をより小規模で安価に推進できること、②天然ガスから製造できるため比較的安価であること、③既存の商業サプライチェーンを活用できること、などの特長がある。一方で、CCSや再生可能エネルギー利用と組み合わせることによって、製造段階CO_2フリー化を実現することが求められるなどの課題も存在する。[18]

筆者は、2018年の11月、グリーンアンモニアコンソーシアムの母体となった内閣府のSIP（戦略的イノベーション創造プログラム）エネルギーキャリア（水素社会）の海外調査に参加して、米国南部のアンモニア関連事業を見学する機会があった。[19] 訪れたのは、ルイジアナ州ガイスナーにあるニュートリエン社の肥料工場と、テキサス州フ

16 中国電力エネルギア総合研究所「水島発電所2号機でのアンモニア混焼試験の結果と今後」2018年11月21日参照。
17 以上の記述については、国立研究開発法人科学技術振興機構（JST）『「グリーンアンモニアコンソーシアム」の設立』2017年7月25日(https://www.jst.go.jp/osirase/20170725/index.html) 参照。
18 以上の記述については、再生可能エネルギー・水素等関係閣僚会議『水素基本戦略』19-20頁参照。
19 以下の記述については、橘川「アンモニアの可能性 CO_2回収・利用との結合」参照。

リーポートにあるＹＡＲＡ社とＢＡＳＦ社との合弁アンモニアプラントである。

先に訪れたのは、ニュートリエン社の肥料工場である。ニュートリエン社は、肥料業界大手のＰＣＳ社とアグリウム社が合併して２０１８年に誕生した、世界最大の肥料会社だ。

ミシシッピ川の河口より１８７マイルさかのぼった河岸に立地する同社の工場は、水運等のロジスティクスの良さを活かして、窒素系肥料などを生産している。同工場を調査対象にしたのは、アンモニアプラントから発生する年間１００万トンのCO_2のうち約半分を回収しているからである。ニュートリエン社の肥料工場では、回収した50万トン／年のCO_2のうち20万トン／年を尿素生産用に自家消費し、残りの30万トン／年をデンブリー社のCO_2パイプラインに送り出している。送り出されたCO_2は、ＥＯＲ等に充当される。ニュートリエン社の工場のほかジャクソンドーム（天然のCO_2ドーム）やエアプロダクツ社の工場からもCO_2の供給を受けるデンブリー社のCO_2パイプラインは、ミシシッピ・ルイジアナ・テキサスの3州をカバーしている。

通常、ＣＣＳ＆ＥＯＲは、火力発電所と結びつけられることが多い。しかし、ニュートリエン社の肥料工場では、ＣＣＳ＆ＥＯＲをアンモニア工場と結びつけている点に、大きな特徴がある。

次に訪れたのは、ＹＡＲＡ社とＢＡＳＦ社との合弁アンモニアプラントである。ＹＡＲＡ社はノルウェーの肥料会社、ＢＡＳＦ社はドイツの化学会社であり、いずれも世界的な大企業だ。

２０１８年に試運転を開始したこの合弁プラントでは、プラックスエア社から水素と窒素の供給を受け、アンモニアを生産する。このうち水素は、主として、近隣のダウ・ケミカル社のナフサクラッカーを発生源とする。使用する電力は、隣接するＢＡＳＦ社のコンプレックスから提供される。

合弁プラントで生産されたアンモニアは、パイプラインを通じて9マイル離れたジェティ（桟橋）まで運ばれ、そこから船で出荷される仕組みである。ジェティの近くには、2基のアンモニアタンクが設置されていた。

この調査では、CCS&EORが石炭火力発電だけでなく、アンモニア工場についても有効であることが判明した。また、アンモニアインフラの整備には多様な方式がありうることもわかった。これらの事実は、エネルギーキャリアとしてのアンモニアの可能性をさらに大きくするものだと言える。

◉浮上したメタネーション

アンモニアの可能性について言及したが、その可能性が高ければ高いほど、水素発電の将来性は後退するとも言える。それでは水素発電のほかに、水素・燃料電池戦略ロードマップのフェーズⅡがめざす「大規模な水素供給システムの確立」と結びつくような、水素の大規模利活用策は存在するだろうか。代替策として期待されるのは、水素とCO_2から都市ガスの主成分であるメタンガスを作り出すメタネーションである。

メタネーションを初めて本格的に取り上げたのは、2017年の水素基本戦略である。また、2018年の第5次エネルギー基本計画も、「合成ガス（メタン）への転換」という表現で、メタネーションの可能性に言及した[20]。

これらのうち水素基本戦略は、「CO2フリー水素を用いたメタネーションの検討」という項を設け、次のように述べている。

「・水素は、CO2と合成することでメタン化することが可能（メタネーション）であり、メタンをエネルギーキャリアとすることで、①国内における既存のエネルギー供給インフラ（都市ガス導管やLNG火力発電所等）の活

20　閣議決定『エネルギー基本計画』2018年7月、97-98頁。

用や、②熱利用の低炭素化の観点から、エネルギーキャリアとして大きなポテンシャルを有する。
・一方で、こうしたCO2フリー水素由来のメタンを活用するためには、大量かつ安価にCO2フリー水素が調達可能であることを前提として、近隣に大規模なCO2排出源が存在することや既存のLNGインフラが利用可能なことが条件となる。更にメタネーションに係る追加コストがかかるため、サプライチェーン全体でのコスト評価が必要である。
・実用化に向けては、CO2調達コストの低下、メタネーション設備の低コスト化、海外でメタネーションを行う場合の課題などについて論点整理を行い、その上で普及方策の検討を行う[21]」。

この水素基本戦略の記述にあるとおり、メタネーションが成功裏に遂行されるためには、
(1) 大量かつ安価にCO_2フリー水素が調達可能であること
(2) 近隣に大規模なCO_2排出源が存在すること
(3) 既存のLNGインフラが利用可能なこと
(4) その他の追加コストを含めサプライチェーン全体でのコストを抑制すること

などの条件が求められる。これらを満たすことはけっして容易なことではないが、現在の日本では、このメタネーションに真剣に取り組もうとしている業界が存在する。都市ガス業界が、それである。

◉都市ガス産業が水素社会実現にはたす役割

これまでCCSは、石炭利用の未来と結びつけられて論じられることが多かった。しかし実際には、CCSは、石炭利用のみならず天然ガス利用の未来とも、深くかかわりあっている。石炭に比べれば天然ガスは、使用時に排

出する熱量当たりのCO_2排出量が少ないが、それでも、天然ガス利用によってCO_2が排出されること自体は、厳然たる事実である。

2050年までに温室効果ガス排出量の80％削減が実現されるとするならば、天然ガスを生業とする都市ガス産業は、CO_2「ゼロエミッション」に近い形で、ビジネスを展開していることになる。天然ガスを使う限りリアルな「ゼロエミッション」を達成することは不可能であるから、都市ガス産業は、まずはバーチャルな「ゼロエミッション」を実施せざるをえない。バーチャルな「ゼロエミッション」とは、第4章で述べたように、(1)日本の都市ガス事業者が海外でCCSプロジェクトに積極的に参画する、(2)それを通じて「拡張版二国間クレジット方式」によりCO_2排出量削減のクレジットを獲得する、(3)獲得したクレジットを費消しつつ日本国内でガス事業に従事する、という手順を踏む。

CCSの円滑な遂行には、一連の技術革新を実現して、コストを削減する必要がある。それだけでなく、「拡張版二国間クレジット方式」という制度上の革新も求められる。技術・制度両面でのイノベーションが、CCSの普及の前提条件となるのである。

都市ガス産業が長期的に生き残るためには、CCSに取り組まざるをえないが、それは、けっして容易なことではない。そこで、都市ガス業界は、CCSと並行して別の方法によっても、「ゼロエミッション」の実現をめざすことになる。それが、水素とCO_2から天然ガスの主成分であるメタンガスを作り出すメタネーションである。

メタネーションを採用すれば、メタンガス生産時に費消する分だけCO_2の排出量を減らせる可能性があること

21 再生可能エネルギー・水素等関係閣僚会議『水素基本戦略』20頁。

から、「ゼロエミッション」へ向けてリアルな形で貢献することができる。水素は、風力発電や太陽光発電の発生電力のうち送電網に載せ切れなかった余剰分を使って水の電気分解を行い、確保する。CO_2は、工場・発電所等で回収したものを用いる。このような仕組みを構築すれば、メタネーションについては、CCSとは異なり、日本国内で完結する形で遂行することができる。現実に、天然ガス自動車を積極的に導入しているドイツのカーメーカー・アウディは、同国北部のヴェルルテで、メタネーションプラント（e-gasプラント）をすでに操業している[22]。

長い目で見れば、日本の都市ガス業界も、CCSやメタネーションに取り組まない限り、事業を継続することができない。バーチャルな形にしろ、リアルな形にしろ、「ゼロエミッション」を実現しない限り、化石燃料を取り扱う産業は事業を継続できない時代が、今世紀の半ばにはやって来る。都市ガス産業もまた、その例外ではないのである。

都市ガス業界は、これまで燃料電池の社会的実装に関して、エネファームの普及という形で、重要な貢献をしてきた。今後、同業界は、メタネーションを推進することによって、水素社会実現の牽引車として、新たな役割もはたそうとしているのである。

◉水素・アンモニアの利活用と再生可能エネルギーの主力電源化

本章では、水素の利活用について検討した。それを通じて、水素の最大の魅力が、他のエネルギー源の弱点を補い、それらのメリットを引き出す役割をはたしうる点、つまり、「エネルギー構造全体を変えるポテンシャル」をもつ点にあることがわかった。

この魅力は、アンモニアについてもあてはまる。アンモニアもまた、「エネルギー構造全体を変えるポテンシャル」をもつのである。

再生可能エネルギーの主力電源化を実現するうえでは、系統制約の解消が決定的に重要な意味をもつ。水素やアンモニアがエネルギーキャリアとして有効に利活用されれば、送電線は不要となり、その分だけ系統制約は軽減される。そうなれば、太陽光発電や風力発電の普及に、拍車がかかる。水素・アンモニアの利活用と再生可能エネルギーの主力電源化とは、密接に関連しているのである。

CO_2フリー水素やCO_2フリーアンモニアへの社会的ニーズが高まっていることからわかるように、再生可能エネルギーと水素・アンモニアとは、そもそも相性が良い。水素・燃料電池戦略ロードマップが２０４０年ごろへ向けてめざすフェーズⅢ、つまり、「トータルでCO_2フリー水素供給システムが確立する」世界は、再生エネ主力電源化が実現しつつある世界でもあるのだ。

22　アウディ社のe-gasプラントは、現時点におけるメタネーションの世界的メッカである。ドイツ・ブレーメンから車で約1時間のヴェルテにある同プラントは、２０１９年時点で7年間にわたって、順調に運転を続けている。稼働率は50％に近い水準で、バイオガスのアミン洗浄装置と水の電気分解装置を併設している。バイオガスの成分は、おおむねメタンガスが60％、CO_2が40％で、CO_2を分離したあとのメタンガスは近くに敷設されているガス導管に注入される。一方、分離されたCO_2は電気分解で得られた水素とともにメタネーションプラントに送られ、そこで合成されたメタンガスもガス導管に導かれる。水素が余った場合は、トレーラーで陸送され、市場で販売される。もちろん、メタネーションにはコスト低減など課題も多い。e-gasプラントも、CNG車（圧縮天然ガス車）の販促策の一環として、アウディ社が資金面で相当の支援をしているから成り立っているのが実情だ。しかし、低炭素社会の到来が不可避である以上、日本でも、水素社会を牽引するメタネーションの時代が確実に始まろうとしている。以上の点については、橘川武郎「メタネーションの時代へ」『ガスエネルギー新聞』２０１９年1月1日付参照。

第6章 再生可能エネルギー主力電源化の担い手は誰か

ゲームチェンジャーの出現

◉担い手を見極めることの重要性

第5次エネルギー基本計画は、2050年へ向けて「再生可能エネルギーの主力電源化を進める」という新方針を打ち出した。一方で同計画は、それが容易ならざる課題であることを強調し、「まず国内の再生可能エネルギー価格を国際水準並みに引き下げ、FIT制度による補助からの早期自立を図り、既存送電網の開放を徹底、補完電源としての火力容量維持の仕組みを早期に整える」とした。そのうえで、「面積的な制約の克服のための発電効率の抜本的向上、調整力の脱炭素化に向けた高性能低価格の蓄電池や水素システムの開発、需給調整をより精緻に行うためのデジタル技術の開発、再生可能エネルギーの分布に応じた送電網の増強、分散型ネットワークシステムの開発といった本質的な課題の解決に向け」、「技術革新によるブレークスルーを要する課題に正面から取り組まなければならない」とも述べた[1]。

ここで問題となるのは、これらの本質的な課題を解決し、再生エネ主力電源化を牽引する担い手は誰かという点である。担い手を見極めることは、2つの理由で、重要な意味をもつ。

1つは、日本のエネルギー政策においては「国策民営方式」が蔓延しているため、政府と民間のあいだで責任の所在が曖昧となり、両者とも十分な当事者意識をもたなくなっているからである。「国策民営方式」が適用されてきたのは、原子力発電についてだけではない。再生可能エネルギー発電普及のために2012年に導入されたFIT（固定価格買取）制度も、一種の「国策民営方式」の適用だとみなすことができる。再生エネ主力電源化のためには、FITなしの市場ベースでの再生エネ利用拡大が必須であるから、「国策民営方式」から解き放たれた自律的な担い手の登場が求められるのである。

いま1つは、東京電力・福島第一原子力発電所事故後9年が経過したにもかかわらず、原子力政策が漂流したままであるため、日本のエネルギー政策をめぐっては、戦略も司令塔も存在しないという不幸な状況が現出しているからである。現在進行中のエネルギー政策の根本的見直しが福島事故を起点としたものである以上、原子力政策が漂流していれば、エネルギー政策全体が漂流せざるをえない。この閉塞状況を打破し、再生エネ主力電源化を実現するためには、次の選挙・次のポストを最重要視して3年先までしか視界にはいらない政治家・官僚に代わって、30年先を見通す眼力をもつ主体的な担い手の登場が必要不可欠なのである。

1　以上の点については、閣議決定『エネルギー基本計画』2018年7月、99頁参照。

再生可能エネルギー主力電源化の担い手を見極めるためには、その担い手が何をなすべきかを再確認することから始めなければならない。ここでは、2030年までになすべきことと、2050年までになすべきこととを分けて考えることにしよう。

◉ 2030年までになすべきこと

2018年に閣議決定された第5次エネルギー基本計画は、「再生可能エネルギー主力電源化」という新方針を打ち出した。この点は高く評価されるべきであるが、ここまでの検討から明らかなように、総合的に見れば、同計画には瑕疵があると言わざるをえない。

第5次エネルギー基本計画は、3つの問題点を有している。

第1は、維持することを決めた2015年策定の電源構成見通し（電源ミックス）に、そもそも問題があった点である。原子力の比率が高すぎ、再生可能エネルギーの比率が低すぎたのである。

第2は、2015〜18年のあいだに世界のエネルギー事情に激変が生じたにもかかわらず、それが第5次エネルギー基本計画に反映されなかった点である。パリ協定の締結だけではなく、太陽光発電コストや風力発電コストの劇的な低落、原子力発電や石炭火力発電に出力調整を迫るほどの再生エネ電源の普及、シェールガス革命の進行による原油価格と天然ガス価格とのデカップリングの始まり、EV（電気自動車）普及見通しの上方修正など、近年、エネルギー・環境問題をめぐる国際情勢は大きく変化した。そうであるにもかかわらず、第5次エネルギー基本計画は、これらの変化を等閑視して、2015年策定の電源構成見通しを維持したのである。

第3は、第5次エネルギー基本計画が2015年策定の電源構成見通しを維持したことは、2050年を見据えた同計画自身の内容とも平仄が合わない点である。２０５０年に再生可能エネルギーを主力電源化すると言いながら、２０３０年の電源ミックスにおける再生可能エネルギーの比率を上方修正せず、22～24％に据え置いたままにしたことは、その端的な表れである。また、第５次エネルギー基本計画が原発のリプレースに言及しなかったことも問題である。と言うのは、リプレースがなければ、２０５０年時点で原子力発電が脱炭素化の選択肢になることはないからである。

原子力発電を何らかの形で使い続けるのであれば、危険性を最小化するため、最新鋭炉を新増設するとともに古い炉を思い切って廃棄するリプレースを行うしかない。リプレースなしには原子力発電は、脱炭素化の選択肢になりえないのである。

リプレースは、「原子力依存度を可能な限り低減させる」という政府方針とも矛盾しない。最新鋭炉を建設する一方で、古い炉についてはそれを上回るペースで廃棄すれば良いからである。リプレースを行うことによって、２０３０年の電源ミックスに占める原子力の比率は15％程度に抑えることができる。

このように第５次エネルギー基本計画には瑕疵があり、それがとくに２０３０年の電源ミックスに集約された形になっている。２０３０年の電源ミックスについて言えば、政府方針の「原子力20～22％、再生エネ22～24％、ＬＮＧ（液化天然ガス）火力27％、石炭火力26％、石油火力３％」を改め、「原子力15％、再生エネ30％、ＬＮＧ火力33％、石炭火力19％、石油火力３％」とすべきであることは、すでに述べたとおりである。再生可能エネルギー主力電源化を牽引する自律的・主体的な担い手が、２０３０年までになすべきタスクは、この「原子力15％、再生エネ30％、ＬＮＧ火力33％、石炭火力19％、石油火力３％」という電源ミックスの実現に貢献することである。

◉2050年までになすべきこと

再生可能エネルギー主力電源化の担い手が2050年までになすべきことは、何だろうか。2050年は、第5次エネルギー基本計画が打ち出した「再生可能エネ主力電源化」の目標年であるから、まずは、この課題の達成それ自体のために全力を注がなければならない。

それ以外で考慮に入れるべき点としては、2016年に閣議決定された地球温暖化対策計画が、2050年までに温室効果ガスの80%削減をめざすとしたことである。第4章で述べたように、この「80%削減目標」の達成のためには、国内対策だけではなく、国際的対策にも力を入れざるをえない。

今世紀の半ばには、バーチャルな形にしろ、リアルな形にしろ、CO_2を排出しない「ゼロエミッション」を実現しない限り、化石燃料を取り扱う産業が事業を継続できない時代が、やって来る。バーチャルな「ゼロエミッション」のカギを握るのは、CCSである。一方、リアルな「ゼロエミッション」をめざす方策の一例は、メタネーションである。CCSは国際的な対策に主眼をおき、メタネーションは国内対策を中心に展開されることになろう。

◉ゲームチェンジャーとしての電力会社

再生可能エネルギーの主力電源化の担い手は、既存の枠組みを変えるゲームチェンジャーとなる。ゲームチェンジャーは、どこから出現するのだろうか。

まず、既存の電力会社のなかからゲームチェンジャーが現れる可能性について考えてみよう。

そもそも、電力会社のコアコンピタンス（競争力の中心的源泉）は、原子力や石炭火力等の発電力にあるのではない。

それは、系統運用能力、言い換えれば停電を起こさないネットワークの運用能力にある。

再生エネ電源には、稼働率が高く出力変動が小さい「たちの良い」地熱・水力・バイオマスと、稼働率が低く出力変動が大きい「やんちゃな」太陽光・風力とに2分される。今後、再生エネの主力電源化を牽引するのは、世界的に発電コスト低下が著しい太陽光・風力の方だろう。これらの「やんちゃな」電源を電力系統へ安定的に組み入れることは難しい。

重要なのは、難しいからこそ電力会社の出番がある点だ。「やんちゃな」電源をきちんと制御、活用することは、高い系統運用力をもつ電力会社にしか実行しえない。そして、課題が難しければ難しいほど、あるいは課題に対する社会的ニーズが大きければ大きいほど、その課題を達成した企業にはより多くの利得がもたらされる。このビジネスの原点に立ち返って、電力会社は、太陽光発電や風力発電を積極的に取り込んだ新しいビジネスモデルを構築すべきだ。

本書の第2章で言及したように、電力会社が太陽光発電や風力発電を大規模に活用する方針を打ち出し、それを実現するために必要な電力系統を自らの手で拡充することを明確にすれば、それは、ESG投資の最適な対象となる。資本市場や金融市場がそのような方針に好感をもつことはまちがいなく、当該電力会社の株価は上昇し、社債の発行条件も改善されることとだろう。

日本の電力会社は、高い系統運用能力をもつ唯一の存在であることを自覚すべきである。そうすれば、「再生可能エネ主力電源化」を担うゲームチェンジャーとなりうることに気づくはずである。

◉電力業界の変容と3つのビジネスモデル

2020年の4月、電力システム改革の仕上げとして、発送電分離が実施された。東京電力・福島第一原子力発電所事故後、今日までの電力業界の動向を念頭におくと、この発送電分離や柏崎刈羽原子力発電所の再稼働をきっかけにして、電力業界に新しいビジネスモデルが登場するかもしれない。

とは言え、目下のところ電力業界では、旧態依然の「原子力依存型」モデルが支配的である。大半の旧一般電気事業者は、原子力発電所の再稼働を再重点課題としている。原発再稼働は、収益効果が大きいだけでなく、電気料金引下げを通じて電力市場での競争優位確保を可能にするからである。すでに再稼働をはたした関西電力・九州電力・四国電力が、「電力業界の勝ち組」とみなされるゆえんである。

これに対して、「非原子力大型電源依存型」モデルとでも呼ぶべきものが、出現するかもしれない。それが現実となりうるのは、第3章で論じたような東京電力が柏崎刈羽原子力発電所を完全売却するケースである。その場合、一連のプロセスの帰結としてJERAは中部電力と一体となるが、「世界最大級の火力発電会社」となる中部電力にとって、再稼働が遅れている浜岡原発の必要性は低下する。同様の事情は、稼働への見通しが立たない大間原発を抱える電源開発（Jパワー）にも存在する。Jパワーのコアコンピタンスは、あくまで高効率石炭火力と系統連結送電線にあり、原子力ではないからだ。そうであれば、中部電力とJパワーが、それぞれ浜岡原発と大間原発を、新たに柏崎刈羽原発を運転することになる原電中心の準国営企業に売却する可能性がある。そうなれば、中部電力とJパワーは、「非原子力大型電源依存型」モデルをとる電力会社となる。

しかし、あえて直言するならば、ここまで述べてきた「原子力依存型」モデルや「非原子力大型電源依存型」モデルは、電気事業のあるべきコアコンピタンスを「誤解」していると言わざるをえない。電気事業の真のコアコンピタンスは、けっして発電力にあるのではなく、停電を起こさない系統運用能力にあるからだ。電気は、基本的には、生産したと同時に消費しなければならない特殊な商品である。発電は他の事業主体でも担いうるが、系統運用は電気事業者にしか遂行できない固有の業務であることを忘れてはならない。

それでは、系統運用能力をコアコンピタンスとする第3のビジネスモデルは、電力業界に出現しうるのであろうか。この問いに対しては、肯定的に答えることができる。東京電力による柏崎刈羽原発の完全売却と発送電分離とをきっかけにして、系統運用を再重点課題とする「ネットワーク重視型」モデルが登場する可能性がある。

現時点で「ネットワーク重視型」モデルに最も近い立ち位置にいるのは、東電傘下のネットワーク会社である東京電力パワーグリッドである。第2章で述べたように、同社は、柏崎刈羽原発の完全売却によって、原子力事業から切り離される。それでも、東京の近辺の地下を東西および南北に走る27万5000Vの高圧送電線を擁するという特徴を活かせば、同社の経営は維持しうる。東電パワーグリッドは、原発を含む大型電源と切り離されることによって、未来形の「ネットワーク重視型」モデルの採用において、先頭に立つ可能性が高いのである。

エネルギーに関する最近の政府の審議会では「送電の広域化、配電の分散化」という議論がさかんに行われている。このことは、将来的には、発送電分離を超えて送配電分離が行われる可能性があることを示唆している。そうなれば、配電は電力小売と一体化してより分散的な供給体制をめざすであろうが、対照的に送電は広域化することになる。

日本では電気の周波数が、東は50ヘルツ、西は60ヘルツと分割されている。送電広域化の流れを受けて東電パワーグリッドは、同じ周波数の東北電力の送電会社との経営統合を志向するだろう。そうなれば、東日本の周波数50ヘルツ地帯を広域にカバーするTSO（Transmission System Operator：送電系統運用者）が出現することになる。なお、同じ周波数であっても、北海道電力の送電会社は、本州・北海道間の連系が脆弱であるため、この統合の対象にはならない。

東日本での広域TSOの出現は、西日本の60ヘルツ地帯でも、広域TSOの登場を促すことになるだろう。西日本の場合には、送電線が連系されていない沖縄電力を除く、中部電力から九州電力までの送電会社が統合の対象となる。

いずれにしても、近未来の電力業界においては、旧態依然とした「原子力依存型」モデル、その亜流である「非原子力大型電源依存型」モデル、そして本来のあるべき姿である「ネットワーク重視型」モデルという3つのビジネスモデルが並存して、錯綜した展開をみせることになるだろう。

◉ゲームチェンジャーとしてのガス会社

次に、既存のガス会社のなかからゲームチェンジャーが現れる可能性について考えてみよう。

すでに述べたように、バーチャルな形にしろ、リアルな形にしろ、「ゼロエミッション」を実現しない限り、化石燃料を取り扱う産業が事業を継続できない時代が、今世紀の半ばにはやって来る。都市ガス産業もまた、その例外ではない。

それでは、LNG（液化天然ガス）や天然ガスを取り扱う都市ガス産業が事業停止を余儀なくされるような事態は、本当に起こるのだろうか。結論を先取りすれば、そうなる蓋然性はきわめて低いということになる。

まず都市ガス事業者は、海外でのCCS&EORプロジェクトへ参画することによって、事業を継続することができる。(1)海外でCCSプロジェクトに積極的に参画する、(2)それを通じて「拡張版二国間クレジット方式」によりCO_2排出量削減のクレジットを獲得する、(3)獲得したクレジットを費消しつつ日本国内でガス事業に従事する、という手順を踏むことによって、バーチャルなゼロエミッションを実現しうるからである。

このほか都市ガス事業者は、メタネーションを推進することによって、リアルなゼロエミッションに近づくこともできる。もちろんメタネーションを成功裏に遂行するためには、(1)大量かつ安価にCO_2フリー水素が調達可能であること、(2)近隣に大規模なCO_2排出源が存在すること、(3)既存のLNGインフラが利用可能なこと、(4)その他の追加コストを含めサプライチェーン全体でのコストを抑制すること、などの条件をクリアしなければならない。これらを満たすことはけっして容易なことではないが、長期的には達成可能であろう。

ここで注目したい点が2つある。

1つは、メタネーション成功の4条件のうち(3)は、LNGないし天然ガスを取り扱う都市ガス事業の存在を前提としている点である。(3)の条件が言う「既存のLNGインフラ」には、LNGタンクやガス導管などが含まれる。メタネーションの遂行と都市ガス事業の事業継続とは、表裏一体の関係にあると言える。

メタネーションを含むカーボンリサイクルが現実化すれば、事業活動によって排出するCO_2も、有効に活用されることになる。そうなれば、LNGないし天然ガスを取り扱う都市ガス事業の継続を阻む理由、つまりCO_2を排出するから良くないという理由そのものが、消滅するにいたる。カーボンリサイクルが社会的に実装される21世紀後半には、LNGないし天然ガスのサスティナビリティ（持続可能性）はむしろ高まる、とさえ言うことができよう。

もう1つは、メタネーション成功の4条件のうち(1)の大量かつ安価なCO_2フリー水素の調達は、国内で完結する形でそれを実施する場合には、再生可能エネルギーを利用することなしには実現が不可能な点である。その場合には、再生可能エネ電源からの発生電力を使って水を電気分解し、CO_2フリー水素を得ることが、メタネーションにとって不可欠の要件となる。

将来の日本でメタネーションの主役となるのは、ガス会社だと見込まれる。ガス会社は、メタネーションにコミットせざるをえない以上、再生エネ電源の拡充にもかかわらざるをえない。その意味で、ガス会社もまた、「再生可能エネ主力電源化」を担うゲームチェンジャーとなる可能性を有しているのである。

◉ゲームチェンジャーとしての新規事業者

とは言え、既存の電力会社やガス会社が「再生可能エネ主力電源化」を担うゲームチェンジャーとなる確率は、それほど高くない。むしろ、その多くは、ゲームチェンジャーにならないであろう。

電力業界においては、ビジネスモデルとしての「ネットワーク重視型」モデルはまだ産みの苦しみの段階にあり、今なお「原子力依存型」モデルないし「非原子力大型電源依存型」モデルが、大宗を占めている。再生可能エネ電源は分散型の給電システムと相性が良いが、「原子力依存型」モデルないし「非原子力大型電源依存型」モデルは、分散型システムとは対極に位置するのである。

ガス業界について言えば、再生可能エネルギー電源の多くは都市ガス導管が届いていない地域に存在することが、問題になる。また、将来的にメタネーションを実施するにしても、大量かつ安価なCO_2フリー水素を調達するために必要な再生可能エネ電源の大半は、ガス会社以外が運営するものとなるだろう。

これらの事情を考慮に入れれば、既存の電力会社ないしガス会社以外の新規事業者が、「再生可能エネ主力電源化」を担うゲームチェンジャーとなる可能性は、大いにあると言うことができる。分散型電源として開発される再生可能エネルギー電源のうち、新規事業者が担い手となるものの比率は、相当高くなるだろう。さらには、再生可能エネ電源や需要家の節電分・蓄電分を束ねて、ＶＰＰ（Virtual Power Plant：仮想発電所）を運用する新規事業者も出現するだろう。新規事業者のなかから「再生可能エネ主力電源化」を担うゲームチェンジャーが登場することが、期待されるのである。

◉地方自治体と政府の役割

新規事業者がゲームチェンジャーとして活躍するためには、地方自治体がはたす役割も大きい。再生可能エネ電源と相性が良い分散型の給電システムは、地域ごとに形成される。したがって、そこには、地方自治体の出番がある。本書の第２章で言及したような「再生可能エネ主力電源化」への道を開くいくつかの方策、つまり、電力の「地産地消」を進めるスマートコミュニティ、太陽光・風力発電とダム式水力発電とを組み合わせる「再生を再生で調整する」方式、「パワー・トゥ・ヒート」と呼ばれる「電気を熱で調整する」方式などは、地方自治体の積極的な関与がなければ、実現は不可能であろう。

中央政府にも、これらの方策を促進するために、制度の整備に取り組んでもらいたい。原子力の分野で起きているような「政策の漂流」を、再生可能エネルギーの分野で再現させてはならない。何よりも、「再生可能エネルギー主力電源化」を閣議決定したのは政府自身であることを、想い起こしていただきたい。

おわりに：「再生可能エネルギー主力電源化」への道

本書のねらいは、わが国において再生可能エネルギーを主力電源とするためには何をなすべきかを明らかにすることにあった。

２０１８年に閣議決定された第５次エネルギー基本計画は、２０５０年に再生可能エネルギーを主力電源化するという新方針を打ち出した。このこと自体は、日本のエネルギー政策の方向性を正しく示す画期的な出来事であった。しかしながら、第５次エネルギー基本計画は、２０３０年の電源構成における再生可能エネルギーの比率を上方修正せず、２０１５年に決定したままの水準の22～24%に据え置いたままにした。このことは、政府が「再生エネ主力電源化」というスローガンを掲げながらも、それを本気で遂行する気がないのではないかという問題を生起することになった。本書を刊行したのは、この問題に正面から対峙するためであった。

本書では、「再生エネ主力電源化」の意味を理解するために、他の電源の見通しについても検討した。その結果、原子力については、政策が「漂流」しており、戦略も司令塔も不在であるため、問題が山積していることが明らかになった。火力については、２０３０年までの中期には高効率石炭火力発電技術の海外移転が、２０５０年までの長期には海外でのＥＯＲと結びついたＣＣＳにコミットすることが、２０５０年以降の超長期にはＣＣＵで成果をあげることが、それぞれ重要であるとの結論に達した。水素については、利活用拡大にとってのボトルネックは水素発電の不進捗にあり、その代替策としてメタネーションへの期待が高まっていることに、光を当てた。

ここで重要な点は、原子力の分野で起きているような「政策の漂流」を、再生可能エネルギーの分野で再現させてはならないということである。そして、ＦＩＴによる拡大ではなく市場ベースでの普及を進めるという、「再生可能エネ主力電源化」への王道に立ち返ることである。

そのためには、２つのアプローチがある。１つは既存の枠組みを維持したままのアプローチであり、もう１つは「ゲームチェンジ」を起こし、新たな枠組みを創出するアプローチである。

既存の枠組みを維持したままのアプローチに関しては、とくに送電線問題を解決して系統制約を解消することが重要である。原子力発電所の廃炉によって「余剰」となる送変電設備の徹底的な活用、電力会社の経営姿勢の変化等がもたらす送電線投資の活性化、スマートコミュニティの拡大や水素の利活用などが進展すれば、送電線問題の解決は可能である。

新たな枠組みを創出するアプローチとしては、電気が足りないときは再生エネを電力生産に充て、電気が余っているときには再生エネを使って温水を作り貯蔵・活用する「パワー・トゥ・ヒート」を普及させることが有意義である。「電気を電気で調整する」方式に代えて「電気を熱で調整する」方式を導入することによって、再生可能エネにかかわるコストを最小化するわけである。

これら２つのアプローチが相乗効果を発揮すれば、日本においても「再生可能エネルギーの主力電源化」は実現しうる。その担い手となるゲームチェンジャーは、どこから出現するだろうか。それは、電力会社のなかから現れるかもしれないし、ガス会社のあいだから生まれるかもしれない。そしてもちろん、既存の電力会社やガス会社とは無縁の新規事業者にも、ゲームチェンジャーの栄誉を担うチャンスは与えられている。

「再生可能エネルギーの主力電源化」が実現すれば、日本においても、エネルギーシフト（エネルギー転換）が本格的に進行することになる。エネルギーシフトの核心は、⑴使用時に二酸化炭素を排出するエネルギーから排出しないエネルギーへのシフト、および⑵集中型のエネルギー供給システムから分散型のエネルギー供給システムへのシフトにあるが、これら2点は、いずれも「再生可能エネルギーの主力電源化」と深くかかわり合っている。どのような形でゲームチェンジャーが登場し、「再生可能エネルギーの主力電源化」を実現して、エネルギーシフトを進行させていくのか、期待を込めて注目したい。

【重版に際して】

本書の初版を刊行してから1ヵ月後の２０２０年10月、菅義偉首相は就任後最初の所信表明演説で、２０５０年までに国内の温室効果ガス排出量を「実質ゼロ」にする方針を打ち出した。この「カーボンニュートラル２０５０宣言」は、国内外で、サプライズとともに共感を呼んだ。

「カーボンニュートラル２０５０」を実現するために政府は、２０２０年12月には、グリーン成長戦略を策定・発表した。そこで重点施策として掲げたのは、①２０４０年までに洋上風力発電を最大で４５００万kW導入する、②アンモニアを燃料とする「カーボンフリー火力発電」を普及させ、２０５０年までに1億トン規模のアンモニアサプライチェーンを日本がコントロールできるようにする、③２０５０年には水素の導入量を２０００万トンにまで拡大し、水素コストを20円／N㎥以下にする、④小型炉（ＳＭＲ）など新型原子炉の開発に取り組む、⑤

2030年代半ばまでに乗用車新車販売で電動車（EV）の比率を100%にする、などの目標であった。

これらのうち⑤はエネルギー産業に直接関係しないので本書ではほとんど言及していないが、①は本書の第2章で、②は本書の第4章と第5章で、③は本書の第5章で、それぞれ掘り下げた方向性が具体化されたものである。④についても、本書の第3章で問題視した閉塞状況を変えるものではない。なぜなら、菅政権は安倍前政権と同様に原子力発電の新増設・リプレースを回避する姿勢を崩していないので、新型炉に関する技術をたとえ開発したとしても国内で実際に建設することはないからである。

菅首相の「カーボンニュートラル2050宣言」がある程度のリアリティをもったのは、その直前に日本最大の火力発電会社であるJERAが、アンモニアを活用することで、2050年までに火力発電のカーボンフリー化をめざすと発表したからである。今後伸びシロが大きい再エネ電源は風力と太陽光であるが、これらは出力変動が激しいため、電力系統に負担をかけないよう出力を調整する火力発電によるバックアップが必要不可欠となる。しかし、火力発電は二酸化炭素を排出する。だから、カーボンニュートラルは実現できない。これまでは、このように考えられてきた。しかし、JERAが「カーボンフリー火力」という新規軸を打ち出したことにより、従来の常識は打破され、カーボンニュートラルへの道筋が開けた。本書の第6章で強調したように、エネルギーシフトを実現するためには、今回のJERAのようなゲームチェンジャーが次々と出現することが求められているのである。

本書で提示した様々な問題解決策がカーボンニュートラル2050をめざす取組みのなかでどのような形で実現されるのか、注意深く見守っていきたい。

（2021年3月19日）

【第3刷に際して】

本書の重版を刊行した直後の2021年4月22日、菅義偉首相は、アメリカのバイデン大統領が主催した気候変動サミットで、2030年度に向けた温室効果ガスの削減目標について、2013年度に比べ46％削減することを目指すと表明し、「さらに50％の高みに向けて挑戦を続けていく」と述べた。日本国内では「46％」という数字が大々的に報道されたが、国際的には「50％」に言及したことの方が高い評価を受けることになった。

いずれにせよこの「46～50％」という新目標が、従来の目標を大幅に上方修正したものであることには変わりはない。日本政府は、パリ協定を採択した2015年のCOP21（国連気候変動枠組条約第21回締約国会議）で、「2030年度における国内の温室効果ガス排出量を2013年度の水準から26％削減する」という国際公約を行い（本書第4章参照）、それを、2021年4月の気候変動サミット直前まで繰り返し公言してきた。この「26％削減目標」は、COP21以前の2015年に策定し、2018年の第5次エネルギー基本計画で追認した現行の電源ミックス・一次エネルギーミックスと整合していた。したがって、新たに大幅上方修正された「46～50％目標」が設定されたので、電源ミックス・一次エネルギーミックスを作り直さなければならなくなったわけであるが、この文章を執筆している2021年5月16日の時点で、政策当局による改定作業は混乱のさなかにある。

混乱の直接の原因は、①まず電源ミックス・一次エネルギーミックスを決定し、②それをふまえて温室効果ガスの削減目標を国際的に宣言する、というこれまでの手順が覆されたことにある。①→②ではなく、②→①となったのだ。今回は、バイデン政権の圧力という政治的要因が強く作用して、まず、「46～50％」という削減目標が決まった。それを受けて、新目標と帳尻が合うように電源ミックス・一次エネルギーミックスを「調整」しなければならなくなった。このため、政策当局は混乱に陥っているのである。

じつは、２０２０年10月から次期（第６次）エネルギー基本計画の策定作業を進めてきた総合資源エネルギー調査会基本政策分科会は、２０２１年４月13日の会合で、きちんとした根拠を積み上げたうえで、２０３０年度の電源ミックスにおける再生可能エネルギー電源の比率を現行の22～24％から30％前後に引き上げる方向性を固めていた。ところが、その９日後に「46～50％」という新しい温室効果ガス削減目標が設定され、それとのつじつまを合わせるためには、２０３０年度の再生エネ電源比率は30％ではとても足りず、30％台後半にまで高める必要があることが判明するにいたった。つまり、十分な根拠がないまま、再生エネ電源比率をさらに10％近く積み増さざるをえなくなったわけである。これでは、「調整」後の電源ミックスの実現可能性に対して、重大な疑念が生じることは避けられないであろう。

また、政策当局は、「46～50％削減目標」とのつじつま合わせのために、２０３０年の総電力消費量・総エネルギー消費量を下方修正しようとしている。その操作の前提として、２０３０年の粗鋼生産量の想定値などを、大幅に削減する見込みである。しかし、この措置をやり過ぎると、日本の産業に未来はないというサインになりかねない。将来に禍根を残すおそれがあるので、措置を講じるにあたっては慎重な姿勢が求められる。

さらに見落としてはならないのは、再生エネルギー比率を大幅に上昇させるためには、他の電源・エネルギー源の比率を大幅に低下させなければならない点である。本書の第３章で述べたように、２０３０年度の電源ミックスにおける「原子力発電比率20～22％」は達成不可能なのであるから、本来であれば、まずは原子力の比率を下げるべきである。ところが、政策当局は、原子力施設立地自治体への配慮などの政治的思惑もあって、「調整」後の第６次エネルギー基本計画に盛り込む２０３０年度の電源ミックスないし一次エネルギーミックスにおいても、原子力の比率を引き下げることはせず、現行の水準のままで据え置こうとしている。そうなれば、比率低下の対象は、電源ミックスについては火力発電、一次エネルギーミックスについては化石燃料に絞り込まれわけである。

火力発電ないし化石燃料にかかわるエネルギー源のうち石炭については、もともとある程度の比率低下が見込まれていた（本書の第4章・第6章参照）。しかし、温室効果ガス「46～50％削減目標」とのつじつま合わせの結果、石炭の比率低下の幅が適正な範囲を超えるおそれがある。石炭比率を過度に低下させると、エネルギー安定供給やエネルギーコスト削減に関して支障が生じることになる。

そしてもう1つ留意すべき点は、火力発電ないし化石燃料の比率低下の影響が、石炭にとどまらず天然ガスにも及ぶことである。本書の第4章では、現行の第5次エネルギー基本計画について、字面のうえでは「天然ガスシフト」をうたっているものの、実際には天然ガスの未来に水を差す内容となっていることを明らかにした。もし、まもなく策定される第6次エネルギー基本計画で、温室効果ガスの「46～50％削減目標」との帳尻合わせのために、2030年の電源ミックスないし一次エネルギーミックスにおける天然ガスの比率が引き下げられるようなことになれば、天然ガスの未来はさらに暗いものになり、LNG（液化天然ガス）の調達にも否定的な影響が生じるであろう。そのような事態が起これば、エネルギー安定供給に支障をきたすだけではない。肝心の温室効果ガスの削減にも、悪影響を及ぼす。と言うのは、2030年までの時期には、同一熱量当たりの二酸化炭素排出量の違いにより、石炭・石油から天然ガスへの燃料転換が温室効果ガスの削減に効果をあげると見込まれるからである。

このように見て来ると、様々な問題をもたらす温室効果ガスの「46～50％削減目標」が悪いかのような印象が生じかねない。しかし、このような見方は、まったくの的外れである。「46～50％削減目標」それ自体は、パリ協定が打ち出した「1・5℃シナリオ」（本書の序章参照）と整合的であり、高く評価されてしかるべきなのである。

端的に言えば、悪いのは「46～50％削減目標」の方ではなく、原子力比率が高過ぎ、再生エネ比率が低過ぎる現行の電源ミックス、およびそれを追認した第5次エネルギー基本計画の方である。本書の第2〜4章で強調したとおり、2015年に現行の電源ミックスを策定した際に、あるいは少なくとも2018年にそれを第5次エネルギー基本計画として追認した際に、2030年度の電源ミックスに「原子力15％、再生エネ30％」という的確な数値を盛り込んでいたとすれば、今日われわれが直面している問題の深刻度はかなり低減していたことであろう。例えば、「2030年再エネ30％」の方針が明示されていたならば、2020年12月策定のグリーン成長戦略がいの一番に打ち出した「2030年までのあいだ毎年100万kWずつ洋上風力の建設に着手する」という施策は3〜6年前から実施されていたことであろうし、そうなっていれば、2021年の時点で、2030年度における再生エネ電源比率を30％台後半に引き上げたとしても、一定の現実性をともなったことは間違いない。

気候変動問題への対応で世界に遅れをとっていた日本は、2020年10月に「2050年カーボンニュートラル」を宣言し、2021年4月に「2030年温室効果ガス46〜50％削減（2013年比）」を公約することによって、目標のうえでは、一応世界に追いついた。ただし、施策面では、第5次エネルギー基本計画等の過去の悪政がたたって、2030年時点においては、まだ世界に追いつけていないのではなかろうか（今回の「46〜50％削減目標」も、京都議定書の削減目標がクレジット購入によって達成されたのと同様に、資金拠出をともなう形で達成される蓋然性が高い）。

しかし、われわれは、悲観ばかりしているわけにはいかない。2030年には間に合わないとしても、2050年にはまだ時間的余裕がある。本書で提案した内容も含めて様々な施策を動員すれば、「2050年カーボンニュートラル」を達成することは可能である。「エネルギー・シフト」を実現し、地球市民としての責務を果たさなければならない。

（2021年5月16日）

【第5刷に際して】

2021年4月22日の気候変動サミットで菅義偉首相が30年度に向けた温室効果ガスの削減目標について13年度比46％に引き上げると表明したことをきっかけに、それまで総合資源エネルギー調査会基本政策分科会（以下、「基本政策分科会」と表記）で順調に進められてきた電源ミックス・一次エネルギーミックスの改定作業は、大混乱に陥ることになった。何回もの会合がキャンセルされたのち、ようやく事務局をつとめる資源エネルギー庁が基本政策分科会の場で30年度に関する電源構成見通し（電源ミックス）および一次エネルギー供給構成見通し（一次エネルギーミックス）の素案を示したのは、気候サミットから3ヵ月経った同年7月21日のことである。

その素案の概要は、以下のとおりであった。

(1) 30年度の発電電力量見通しは約9300～9400億kWh［現行の第5次エネルギー基本計画（2018年）では1兆650億kWh］。

(2) 30年度の電源構成見通しは、再生可能エネルギー（再生エネ）36～38％、原子力20～22％、水素・アンモニア1％、LNG（液化天然ガス）20％、石炭19％、石油等2％。つまり、ゼロエミッション電源59％、火力41％。再生エネの内訳は、太陽光15％、風力6％、地熱1％、水力10％、バイオマス5％［現行の第5次エネルギー基本計画では再生エネ22～24％、原子力20～22％、LNG27％、石炭26％、石油等3％。つまり、ゼロエミッション電源44％、火力56％。再生エネの内訳は、太陽光7・0％、風力1・7％、地熱1・0～1・1％、水力8・8～9・2％、バイオマス3・7～4・6％］。

(3) 30年度の一次エネルギー供給量見通し（石油換算）は約4億3000万kl［現行の第5次エネルギー基本計画では4億8900万kl］。

(4) 30年度の一次エネルギー供給構成見通しは、再生エネ20%、原子力10%、天然ガス20%、石炭20%、石油30%。つまり、非化石エネルギー源30%、化石燃料70%［現行の第5次エネルギー基本計画では再生エネ13～14%、原子力10～11%、天然ガス18%、石炭25%、石油33%。つまり、非化石エネルギー源24%、化石燃料76%］。

この素案について筆者は、資源エネルギー庁がそれを提示した時点より2ヵ月前の21年5月16日に執筆した【第3刷に際して】（本書の第3刷・第4刷に掲載）のなかで、①再生エネの比率が高くなり過ぎて実現可能性に重大な疑念が生じるのではないか、②発電電力量見通しおよび一次エネルギー供給量見通しの下方修正が行き過ぎて日本の産業の未来に暗い影を落とすのではないか、③政治的な思惑で達成不可能な原子力の比率が維持されるのではないか、④石炭の比率が過度に引き下げられエネルギー安定供給やエネルギーコスト削減に支障が生じるのではないか、⑤天然ガスの比率が低減されエネルギー安定供給や温室効果ガス排出量低減に悪影響を及ぼすのではないか、という懸念を表明した。残念ながら、実際に素案が提示されてみると、これらの懸念はことごとく的中したと言わざるをえない。

まず、①について。「30年再生エネ電源36～38%」の実現可能性は低い。方向性は正しいが、過去の失政がたたって再生エネ主力電源化へ舵を切るタイミングが遅れたため、30年時点ではこの遅れを取り戻すことができず、36～38%には届かないだろう。

次に、②について。提示された素案では、現行の第5次エネルギー基本計画に比べて、30年度における発電電力量見通しが12～13%、一次エネルギー供給量見通しが12%、それぞれ下方修正された。この修正幅は、「省エネの深掘り」の域を超えており、日本の製造業の先細りを意味するメッセージになりかねない。

続いて、③について。21年7月13日の基本政策分科会で資源エネルギー庁は、稼働中の炉だけでなく、原子力規制委員会の許可を得たものの稼働にいたっていない炉、および原子力規制委員会で審議中の炉をすべて含めた27基が80％の設備利用率で稼働すれば、「30年原子力発電20～22％」は実現可能であるとの見解を示した。しかし、現実を直視すれば、30年に稼働している原子炉は甘く見ても20数基にとどまるだろうし、設備利用率も70％がせいぜいであろう。そもそも、原子力規制委員会で審査中であるすべての炉の稼働を織り込むことは、同委員会の独立性を侵害するものだという批判も生まれよう。

さらに、④について。提示された素案では、現行の第5次エネルギー基本計画に比べて、30年度における石炭の比率は、電源構成では7％、一次エネルギー供給構成では5％、いずれも大幅に低下した。とくに、電源構成における石炭火力比率は20％を割り込むにいたった。これでは、「エネルギー安定供給やエネルギーコスト削減に支障が生じるのではないか」という懸念が現実味を帯びる。

最後に、⑤について。提示された素案では、現行の第5次エネルギー基本計画に比べて、30年度の電源構成におけるLNGの比率が、7％も引き下げられた。一方、30年度の一次エネルギー供給構成における天然ガスの比率は、2％引き上げられた。天然ガスの使用は、発電分野では縮小するが、非電力分野では拡大するという見方である。とは言え、一次エネルギー供給量見通し全体が大幅に下方修正されたため、2％の比率上昇があったにもかかわらず、30年度の年間天然ガス需要見通しは、現行の第5次エネルギー基本計画が想定した規模からさらに2000万トンほど少ない6000万トンそこそこにとどまることになった。これでは、LNGの調達に否定的な影響が生じることは明らかであり、「エネルギー安定供給や温室効果ガス排出量低減に悪影響を及ぼす」ことは避けられないだろう。

このように、本書で一貫して問題にしてきた第5次エネルギー基本計画に象徴される過去の失政がたたって、30

年の時点では、カーボンニュートラルをめざす日本の道は厳しい苦難にさらされたままだろう。ただし、最終的な目標年次の50年までには、まだ時間がある。ここであえて、【第3刷に際して】の最後のフレーズを再掲することにしたい。

「われわれは、悲観ばかりしているわけにはいかない。2030年には間に合わないとしても、2050年にはまだ時間的余裕がある。本書で提案した内容も含めて様々な施策を動員すれば、「2050年カーボンニュートラル」を達成することは可能である。「エネルギー・シフト」を実現し、地球市民としての責務を果たさなければならない」。

（2021年7月24日）

【第6刷に際して】

筆者が【第5刷に際して】を書いたのは、2021年7月のことである。それから8ヵ月を経た22年3月に、この【第6刷に際して】を書いている。

2021年7月21日の総合資源エネルギー調査会基本政策分科会（以下、「基本政策分科会」と表記）で示された30年度に関する電源構成見通し（電源ミックス）および一次エネルギー供給構成見通し（一次エネルギーミックス）は、①再生可能エネルギーの比率が高過ぎて実現可能性に疑念がある、②発電電力量見通しおよび一次エネルギー供給量見通しの下方修正が行き過ぎて日本の産業の未来に暗い影を落とす、③達成不可能な原子力の比率が維持される、④石炭の比率が過度に引き下げられエネルギー安定供給やエネルギーコスト削減に支障が生じる、⑤天然ガスの比率が低減されエネルギー安定供給や温室効果ガス排出量低減に悪影響を及ぼす、という問題点を有していた。ここでは、【第5刷に際して】であまり触れることができなかった②について、掘り下げておこう。

第6次エネルギー基本計画に盛り込まれた30年度の電源構成見通しの問題点の一つは、帳尻合わせをした結果、総発電電力量を不自然な形で削減することになり、その過程で日本の未来をあやうくする「産業縮小シナリオ」が部分的な形ではあれ導入されてしまったことにある。同見通しでは、再生エネルギー36～38%、原子力20～22%という、いずれも実現不可能な高い数値が打ち出された。これらは比率であるから、分子と分母から構成される。しかし、分子の積み上げは困難をきわめた。

再エネについては、なんとか30%分までは目算がたっていた。問題はさらに6～8ポイント分を積み増すことであり、21年8月4日の基本政策分科会の時点でもその目処は立っていなかった。その点は、同日に提示された素案に再エネ電源の具体的内訳が書かれていなかったことからも明らかである。

一方、原子力についてみれば、基本政策分科会の事務局をつとめた資源エネルギー庁（以下、「エネ庁」と表記）は、30年に27基の原子炉が80%の稼働率で動けば「30年度20～22%」の達成は可能であると主張した。しかし、同じエネ庁は、18年に第5次エネルギー基本計画を策定した際には、「30年度20～22%」の実現のためには、30基の原子炉が80%の稼働率で動くことが必要だとしていた。つまり、いつのまにか原子力比率の分子は、30基相当分から27基相当分へ、1割ほど削減されたことになる。

分子の積み上げに窮したエネ庁は、帳尻合わせのために、分母を削減するという「奥の手」を繰り出した。30年度の年間総発電電力量を第5次エネルギー基本計画の1兆650億kWhから第6次エネルギー基本計画の9340億kWhへ、12%減らすという策を弄したのである。

分母を1割強削減した結果、分子の積み上げがうまくゆかなくとも、比率は何とかつじつまが合うことになった。「30年度再エネ36～38%」を掲げることもできたし、分子が1割減ったにもかかわらず分母も1割強縮小したため、

「原子力20~22%」を維持することも可能になった。

ただし、ここで、想起すべき事実がある。それは、20年12月21日の基本政策分科会でエネ庁が50年度の電源構成見通しについて再エネ50~60%、水素・アンモニア火力10%、CCUS（二酸化炭素回収・利用、貯留）付き火力プラス原子力30~40%という参考値（この参考値は、閣議決定された第6次エネルギー基本計画にも書き込まれた）を提示した際、2050年度の総発電電力量を1兆3000億kWh~1兆5000億kWhとし、現状より3~5割増えると見込んだことである。これを受けて、21年5月13日の基本政策分科会でこの参考値にもとづくモデル分析の結果を発表したRITE（地球環境産業技術研究機構）は、50年度の総発電量が1兆3500億kWhになるとの見通しを示した。つまり、エネ庁は、電化の進展によって2050年度には総発電電力量が現状より3~5割増加するという認識をもちながら、そこまでの中間点である30年度については総発電電力量が1割強減少するという、矛盾に満ちた未来図を描いたことになる。この矛盾が、30年度の電源ミックス策定時の「分母減らし」という、無理な帳尻合わせによってもたらされたことは、言うまでもない。

エネ庁は、無理な「分母減らし」である総発電電力量削減を合理化するために、「省エネの深掘り」という理屈を持ち出した。確かに、21年8月4日の基本政策分科会で配布された参考資料によれば、深掘りの結果、多くの産業で30年へ向けての省エネ量の見通しは増えた。しかし、最大の二酸化炭素排出産業である鉄鋼業については、深掘りしたにもかかわらず、省エネ量見通しが280万klから174万kl（原油換算値）へ大幅に縮小した。これは、30年度の粗鋼生産量見通しを従来の電源構成見通し策定時（15年）の1億2000万トンから9000万トンへ、25%も引き下げたからである。同様のケースは、30年度の生産量見通しを2700万トンから2200万トンへ19%縮小した紙・板紙製造業についても、観察される。つまり、今回の帳尻合わせのための総発電電力量削減のプロセスでエネ庁は、「省エネの深掘り」を超えて、「産業縮小シナリオ」に踏み込んだことになる。

このことのもつ意味は重大である。もちろん、30年度のエチレン生産量見通しのように、従来の電源構成見通し策定時の水準（年産570万トン）を維持したケースもあるから、今のところ、エネ庁による「産業縮小シナリオ」への踏み込みは部分的なものにとどまっている。しかし、第6次エネルギー基本計画素案に盛り込まれた30年度の電源ミックスが、産業縮小のきっかけとなる危険性は十分に存在する。今後、「亡国のシナリオ」とも言える「産業縮小シナリオ」が広がっていくことがないよう、我われは監視の眼を強めなければならない。

このように大きな問題点を有する30年度に関する電源構成見通しおよび一次エネルギー供給構成見通しの素案であったが、基本政策分科会は、21年8月4日の会合において、賛成多数でこの素案を承認した。採決にあたって、多数を占める原発推進派の委員たちは、それまで、原子力発電のリプレース・新増設が盛り込まれていないことから素案を強く批判していたにもかかわらず、なぜか賛成票を投じた。少数の原発に批判的な委員たちも、再生エネの比率が高く設定されたため、賛成の立場を表明した。結局、この素案に反対したのは、基本政策分科会の24名の委員のなかで、筆者1人であった。承認された素案は、大きく変更されることなく、新発足した岸田文雄内閣によって21年10月22日に閣議決定された第6次エネルギー基本計画に盛り込まれた。

それにしても、つくづく思うのは、第6次エネルギー基本計画素案に30年度の電源構成見通しを盛り込む必要はなかったという点である。計画経済をとる社会主義国ではない日本であえて電源ミックスを作成する理由は、電源開発は大規模投資となるため、長期にわたる電源構成見通しがないと企業が投資の意思決定をしにくいという点に求めることができる。しかし、30年はわずか9年後のことであった。そのタイミングで、30年度の電源構成見通しを作ったとしても、それを見て新たな大規模電源投資を決定するような企業などあるはずがない。第6次エネルギー基本計画素案には、30年度に関して、無理して作った電源構成見通しなどではなく、21年6月に改訂されたグリーン成長戦略が打ち出した洋上風力・水素・アンモニア・メタネーションなどの導入規模や価格低減目標などを数値化した新しいＫＰＩ（重要業績評価指標）を盛り込むべきだったのではあるまいか。

日本政府が第6次エネルギー基本計画を閣議決定した直後、２０２１年10月31日から11月13日にかけて、イギリスのグラスゴーで、ＣＯＰ26（国連気候変動枠組条約第26回締約国会議）が開催された。この会議で演説した岸田首相は、30年度に向けた温室効果ガスの削減目標について、13年度に比べ46％削減することを表明した。ＣＯＰ26によって、カーボンニュートラルをめざす世界の動きは加速することになった。

日本国内でも、21年12月24日に大きな動きがあった。経済産業省と国土交通省が、再エネ海域利用法にもとづく海洋再生可能エネルギー発電設備整備促進区域である「秋田県能代市・三種町・男鹿市沖」「秋田県由利本荘市沖」「千葉県銚子沖」における選定事業者について、いずれも三菱商事を中心とする企業連合を選んだことを発表したのである。具体的に選定されたのは、秋田県能代市・三種町・男鹿市沖と千葉県銚子市沖では三菱商事とシーテック、秋田県由利本荘市沖では三菱商事・シーテック・ウェンディジャパンであった。

この事業者の公募では、選定にあたって、事業の実現可能性や立地地域の地元対応などの定性面を50％、売電価格を見る定量面を50％、評価する方針をとった。三菱商事を中心とする企業連合は、定性面について、能代市・三種町・男鹿市沖で応札した5事業者中1位、由利本荘市沖で5事業者中2位（1位はレノバ＆東北電力）、銚子市沖で2事業者中2位（1位は東京電力リニューアブルパワー＆オーステッド）であった。必ずしも1位ではなかったわけであるが、定量面で他を圧倒した。三菱商事らは、kWh当たりで能代市・三種町・男鹿市沖では13・26円、由利本荘市沖では11・99円、銚子市沖では16・49円という驚くべき低位の売電価格を提示した。それぞれ定量面で2位となった事業者が示した売電価格が、kWh当たりで能代市・三種町・男鹿市沖では16・97円、由利本荘市沖では17・2円、銚子市沖では22・59円だったことを考え合わせれば、三菱商事らの「価格破壊」ぶりがよくわかる。

第6次エネルギー基本計画を策定する過程で発電コスト検証ワーキンググループが21年7月に発表した30年の電源別発電コスト試算では、発電コストの下限値が、kWh当たりで太陽光（事業用）は8円台前半、陸上風力は9円台後半、洋上風力は26円台前半とされた。政府の発電コストの目標値は、kWh当たりで太陽光（事業用）が25年7円、陸上風力が30年8～9円、洋上風力が30～35年8～9円であるから、その時点では、太陽光（事業用）や陸上風力は目標達成が視野にはいったものの、洋上風力は目標達成が困難だと思われた。しかし、その5ヵ月後に三菱商事らが提示し落札した売電価格は、洋上風力についても、コスト削減の目標達成が可能であることを示すものであった。三菱商事を中心とする企業連合は、まさにゲームチェンジャーとして登場したのである。

このように、再生可能エネルギーの主力電源化やカーボンニュートラルへむけての流れが強まる一方で、世界的に化石燃料価格が高騰するという事態が進行した。原油価格は、新型コロナ禍による規模縮小からの経済の回復による石油需要の拡大、脱炭素への流れの高まりによる石油上流部門への投資の低迷、産油国の増産への消極的な姿勢などの影響で、20年なかばから上昇傾向をたどるようになった。石炭価格や天然ガス価格も、同様の動きを示した。

欧州では、電気料金やガス料金が著しく上昇し、さながら「エネルギー危機」の様相を呈するようになった。このような事情を背景にして、欧州委員会は、22年1月1日、カーボンニュートラルに貢献する持続可能な事業活動を選定するＥＵ（欧州連合）タクソノミーに原子力や天然ガスを含める方針を発表した。

欧州で始まったエネルギー危機は、22年2月24日に開始されたロシアによるウクライナ侵略によって、世界に広がろうとしている。侵略行為は現在も進行中であり、本稿を執筆している1週間前の22年3月7日には、ロンドン市場で北海ブレント原油先物の期近物が１バレル１３９ドルにまで上昇した。原油・天然ガス・石炭の価格上昇だけでなく、それらの供給そのものが大規模に縮小することも、懸念されている。また、ロシア軍がウクライナの原子力発電施設および周辺の送電設備を攻撃対象にしたことは、日本における地震・津波・火山活動、欧米におけるテロ攻撃（大型航空機の突入など）という従来の水準を超える、原子力発電に対する新たなリスクが発生したことを意味するだろう。

（２０２２年３月14日）

参照文献

エネルギー情勢懇談会『エネルギー情勢懇談会提言～エネルギー転換へのイニシアティブ～』２０１８年４月10日。

岡本浩「再生可能エネルギーの電力システムへの統合に関わる課題と取り組み」国民生活産業・消費者団体連合会『生団連会報』（２０１９年11月号、Vol.32）２０１９年11月29日。

閣議決定『エネルギー基本計画』２００３年10月。

閣議決定『エネルギー基本計画』２０１４年４月。

閣議決定『地球温暖化対策計画』２０１６年５月13日。

閣議決定『エネルギー基本計画』２０１８年７月。

閣議決定『パリ協定に基づく成長戦略としての長期戦略』２０１９年６月11日。

橘川武郎『日本電力業発展のダイナミズム』名古屋大学出版会、２００４年。

橘川武郎「CO_2フリー水素チェーン」『電気新聞』２０１３年７月17日付。

橘川武郎「オピニオン『ＦＩＴに頼る限り、本当の再エネ時代は来ない』」『ＰＶｅｙｅ』（２０１４年10月号、Vol.31）２０１４年９月25日。

橘川武郎『火力発電と化石燃料の未来形』エネルギーフォーラム、２０１５年。

橘川武郎「欧州に見る水素発電の可能性」『電気新聞』２０１５年３月２日付。

橘川武郎「水素の最大の魅力とは　エネルギー構造全体を変える力」『ガスエネルギー新聞』２０１５年８月24日付。

橘川武郎「欧州天然ガス最前線　実証進むパワー・ツー・ガス」『ガスエネルギー新聞』２０１７年９月25日付。

橘川武郎「熱・電複軸システムへ　デンマークで起きていること」『ガスエネルギー新聞』２０１８年10月29日付。

橘川武郎「メタネーションの時代へ」『ガスエネルギー新聞』２０１９年１月１日付。

橘川武郎「アンモニアの可能性　CO_2回収・利用との結合」『ガスエネルギー新聞』２０１９年２月11日付。

橘川武郎「欧州のデジタル化や地域熱供給で考察　これからのエネルギー競争を勝ち抜く方法」『エネルギーフォーラム』（２０１９年11月号）２０１９年11月１日。

経済産業省『長期エネルギー需給見通し』２０１５年７月。

経済産業省・内閣府・文部科学省・環境省『カーボンリサイクル技術ロードマップ』２０１９年６月。

経済産業省資源エネルギー庁『火力発電における論点』２０１５年３月。

経済産業省資源エネルギー庁『平成30年度エネルギーに関する年次報告（エネルギー白書２０１９）』２０１９年６月７日。

経済産業省資源エネルギー庁『昨今のエネルギーを巡る動向とエネルギー転換・脱炭素化に向けた政策の進捗』２０１９年７月１日。

経済産業省長期地球温暖化対策プラットフォーム『長期地球温暖化対策プラットフォーム報告書―我が国の地球温暖化対策の進むべき方向―』２０１７年４月７日。

再生可能エネルギー・水素等関係閣僚会議『水素基本戦略』２０１７年12月26日。

再生可能エネルギー・水素等関係閣僚会議『水素基本戦略（概要）』２０１７年12月26日。

水素・燃料電池戦略協議会『水素・燃料電池戦略ロードマップ～水素社会の実現に向けた取組の加速～』２０１４年６月23日。

水素・燃料電池戦略協議会『水素・燃料電池戦略ロードマップ～水素社会の実現に向けた産学官のアクションプラン～』２０１９年３月12日。

中国電力エネルギア総合研究所『水島発電所2号機でのアンモニア混焼試験の結果と今後』２０１８年11月21日。

電気事業連合会統計委員会編『電気事業便覧』（平成22年版）日本電気協会、２０１０年。

電気事業連合会統計委員会編『電気事業便覧』（各年版）日本電気協会。

内閣府・経済産業省『未来開拓戦略（Jリカバリー・プラン）』２００９年４月17日。

三菱総合研究所環境・エネルギー研究本部『環境省御中　平成26年度２０５０年再生可能エネルギー等分散型エネルギー普及可能性検証検討委託業務　報告書』２０１５年１月。

ヨアヒム・ラートカウ／ロータル・ハーン著、山藤光晶・長谷川純・小澤彩羽訳『原子力と人間の歴史―ドイツ原子力産業の興亡と自然エネルギー』築地書館、２０１５年。

FAO（Food and Agriculture Organization of the United Nations）, IFAD（International Fund for Agricultural Development）, unicef, WFP（World Food Programme）, and WHO（World Health Organization）, *2018, THE STATE OF FOOD SECURITY AND NUTRITION IN THE WORLD: BUILDING CLIMATE RESILIENCE FOR FOOD SECURITY AND NUTRITION*, 2018.

参照ウェブページ

外務省「持続可能な開発目標（ＳＤＧｓ）について」２０１９年1月。
https://www.mofa.go.jp/mofaj/gaiko/oda/sdgs/pdf/about_sdgs_summary.pdf

環境省「２０１３年度（平成25年度）の温室効果ガス排出量（確報値）〈概要〉」２０１５年４月。
http://www.env.go.jp/earth/ondanka/ghg-mrv/emissions/results/material/kakuhou_gaiyo_2013.pdf

環境省「世界のエネルギー起源ＣＯ２排出量（２０１６年）」２０２０年６月30日最終アクセス。

www.env.go.jp/earth/2019/co2_emission_2016.pdf#search=%27国別co2排出量%27

経済産業省、ニュースリリース「資源エネルギー庁にカーボンリサイクル室を設置します」２０１９年２月１日。
https://www.meti.go.jp/press/2018/02/20190201003/20190201003.html

経済産業省資源エネルギー庁「今さら聞けない『パリ協定』～何が決まったのか？私たちは何をなすべきか？～」２０１７年８月17日。https://www.enecho.meti.go.jp/about/special/tokushu/ondankashoene/pariskyotei.html

経済産業省資源エネルギー庁「さまざまなエネルギーの低炭素化に向けた取り組み」２０１８年２月８日。
https://www.enecho.meti.go.jp/about/special/tokushu/ondankashoene/co2sakugen.html

国立研究開発法人科学技術振興機構（ＪＳＴ）「『グリーンアンモニアコンソーシアム』の設立」２０１７年７月25日。
https://www.jst.go.jp/osirase/20170725/index.html

地球環境センター（ＧＥＣ）「二国間クレジット制度（ＪＣＭ）とは」２０２０年６月30日最終アクセス。gec.jp/jcm/jp/about/

東京都環境局「水素社会の実現に向けた東京戦略会議」２０１８年２月９日。

www.kankyo.metro.tokyo.jp/climate/hydrogen/kaigi/html

日本経済新聞社「福島廃炉・賠償費21・5兆円に倍増　経産省が公表」『日本経済新聞』２０１６年12月９日発信。
http://www.nikkei.com/article/DGXLASFS09H0H_Z01C16A2000000/

日本原子力文化財団「原子力・エネルギー図面集」２０１９年10月１日。https://www.ene100.jp/zumen/4-2-2

な行

は行

ま行

さ行

た行

索引

■著者略歴

橘川　武郎（きっかわ・たけお）

現在、国際大学大学院国際経営学研究科教授、東京大学名誉教授、一橋大学名誉教授。

1951年和歌山県生まれ。1983年、東京大学大学院経済学研究科博士課程単位取得退学。経済学博士。青山学院大学経営学部助教授、東京大学社会科学研究所教授、一橋大学大学院商学研究科教授、東京理科大学大学院イノベーション研究科教授を経て、現在に至る。その他、経営史学会会長、総合資源エネルギー調査会委員等を歴任。

専門分野：日本経営史、エネルギー産業論。
主要著書：『日本電力業発展のダイナミズム』（名古屋大学出版会、2004年）
『松永安左エ門 —生きているうち鬼といわれても—』（ミネルヴァ書房、2004年）
『電力改革 —エネルギー政策の歴史的大転換—』（講談社、2012年）
『日本のエネルギ--問題』（NTT出版、2013年）
『イノベーションの歴史』（有斐閣、2019年）

■ エネルギー・シフト
再生可能エネルギー主力電源化への道

■ 発行日——2020年9月16日　初 版 発 行　〈検印省略〉
2022年4月16日　第6刷発行

■ 著　者——橘川武郎

■ 発行者——大矢栄一郎

■ 発行所——株式会社 白桃書房
〒101-0021　東京都千代田区外神田5-1-15
☎03-3836-4781　FAX 03-3836-9370　振替00100-4-20192
http://www.hakutou.co.jp/

■ 印刷・製本——三和印刷株式会社

ISBN 978-4-561-71223-7　C0060